Jazmín™

Charlotte Phillips

¿El amor de su vida?

Editado por HARLEQUIN IBÉRICA, S.A.
Núñez de Balboa, 56
28001 Madrid

¿EL AMOR DE SU VIDA?, N.º 2525 - 2.10.13
Título original: The Proposal Plan
Publicada originalmente por Mills & Boon®, Ltd., Londres.

I.S.B.N.: 978-84-687-3566-5
Depósito legal: M-21580-2013
Editor responsable: Luis Pugni
Fotomecánica: M.T. Color & Diseño, S.L. Las Rozas (Madrid)
Impresión en Black print CPI (Barcelona)
Imagen de cubierta:
DMYTRO KONSTANTYNOV/DREAMSTIME.COM
Fecha impresión Argentina: 31.3.14
Distribuidor exclusivo para España: LOGISTA
Distribuidor para México: CODIPLYRSA
Distribuidores para Argentina: interior, BERTRAN, S.A.C. Vélez Sársfield, 1950. Cap. Fed. / Buenos Aires y Gran Buenos Aires, VACCARO SÁNCHEZ y Cía, S.A.

CAPÍTULO 1

–¿QUIERES…?

Lucy Telford se inclinó hacia delante, los ojos verdes abiertos de par en par. Tan segura estaba de cómo terminaría esa frase que, por un segundo, pensó que había oído «casarte conmigo».

Pero cuando volvió a la realidad, Ed estaba describiendo una casa en Bath para la que pensaba dar una entrada. Y se dio cuenta entonces, incrédula, que había vuelto a ocurrir.

A la mañana siguiente, muy temprano, conducía en silencio por las silenciosas calles de la ciudad. Aparentemente, los hombres eran incapaces de entender una pista. El día anterior había sido el día de San Valentín y estaba con su novio, con el que llevaba dos años saliendo. Ed había reservado mesa en su restaurante favorito, le había comprado un bonito ramo de flores y, además, le había dicho que iba a pedirle algo especial esa noche.

¿Qué chica no hubiera esperado una proposición de matrimonio en esa situación? Llevaba seis meses dándole pistas… tenía que haberse acercado al blanco en algún momento, ¿no?

Lucy apretó el volante con rostro serio; los rizos

oscuros, más desafiantes de lo normal, reflejando su enfado. Había estado dando vueltas y vueltas en la cama, alternativamente helada y acalorada, pero alrededor de las dos se le había ocurrido una solución, una manera de tomar el control.

Poco después, detenía el coche en una de las bonitas calles de Bath, la piedra dorada de las casas reflejando el sol invernal. Era una perfecta mañana de febrero, fría, pero luminosa.

Al llevar su propio negocio de pastelería estaba acostumbrada a levantarse muy temprano y le encantaba el aspecto de la ciudad cuando todo el mundo estaba dormido, pero aquel día estaba demasiado distraída como para pensar en eso.

Después de quitar la llave de contacto se dirigió a la casa de la única persona a quien podía contarle sus penas. La única que la dejaría hablar hasta cansarse. La única que la tranquilizaría y le daría su opinión objetiva. Amigo de la infancia, protector en la edad adulta, confidente y figura fraternal, Gabriel Blake estaba a punto de despedirse de su descanso dominical.

Gabriel intentó taparse los oídos con la almohada, pero el timbre seguía sonando. Abriendo un ojo, miró el despertador sobre la mesilla y dejó escapar un gruñido. Las siete y media.

Solo una persona era capaz de aparecer en su casa un domingo a las siete de la mañana.

El timbre siguió sonando hasta que, por fin, se levantó de la cama y, medio dormido, se dirigió a la escalera, agarrándose a la barandilla para no perder el equilibrio. Los ojos grises cargados de sueño, el espeso pelo oscuro un poco tieso y la sombra de barba definiendo su marcada mandíbula, Gabriel se pasó una mano por los ojos. Para entonces, Lucy había dejado el dedo en el timbre y el estridente ruido era una tortura para alguien con resaca.

Gabriel abrió un poco la puerta y tuvo que cerrar los ojos para evitar el sol.

–Lucy, son las siete y media de la mañana. ¿Se puede saber qué haces aquí?

–Tienes los ojos cerrados. ¿Cómo sabías que era yo?

–Nadie más se atrevería a molestarme a estas horas –Gabriel abrió un ojo–. Especialmente, un domingo.

Lucy se puso de puntillas para mirar por encima de su hombro, mostrando total indiferencia por su bronceado torso desnudo. Se había alojado en la casa un año antes y, como resultado, era inmune a sus encantos masculinos. Al contrario que el resto de las mujeres, para ella Gabriel solo era Gabriel, su mejor amigo durante veintitrés años. No había ni había habido nunca nada romántico entre ellos.

–¿Hay alguien contigo? –le preguntó–. Si es así, líbrate de ella. Esto es una emergencia.

Gabriel se pasó una mano por el pelo, intentando ordenar sus pensamientos.

–Aquí no hay nadie. ¿Por qué es una emergencia? ¿Qué ha pasado?

–No puedo hablar de esto en la calle. Déjame entrar de una vez.

Gabriel se apoyó en el quicio de la puerta y Lucy aprovechó para empujarlo y entrar como un tornado mientras él miraba la escalera que llevaba a su dormitorio. Pero ya que Lucy estaba en la casa, no habría manera de echarla de allí hasta que hubiera dicho lo que tenía que decir, de modo que cerró la puerta y la siguió, resignado, a la cocina.

Sonrió al ver sus rizos oscuros escapando de la cinta. Llevaba un pantalón corto de deporte que, por fin, destacaba su buen tipo. Era muy delgada y normalmente llevaba ropa ancha que ocultaba su figura… resultaba irónico que una persona cuya vida eran los dulces fuese tan delgada, pensó. Pero ese pantalón de deporte solo podía significar una cosa: había ido a convencerlo para que fuese a correr un rato con ella cuando apenas había pegado ojo por la noche.

Pero entonces se fijó en sus ojeras y su expresión preocupada. Sintiéndose protector, como siempre desde que ella tenía seis años y él ocho, Gabriel le dio un abrazo y no pudo dejar de notar que se ponía tensa.

–¿Qué ha pasado? –le preguntó, en voz baja–. Dime si es algo que justifique haberme despertado tan temprano un domingo.

Ella lo miró, con evidente angustia.

–Verás…

–No me digas que tu padre o tu madre están enfermos.

–Que algo le pasara a mis insoportables padres no sería tan serio y tú lo sabes.

–Ah, bueno –Gabriel sonrió–. No tiene nada que ver con tus padres, pero no me apetece jugar a las adivinanzas. Siéntate y cuéntame qué pasa.

Tomó su mano para llevarla hacia un sofá blanco y ella se miró las manos, las uñas siempre cortas y arregladas.

–Es Ed –respondió.

–¡Lo sabía! ¿Qué ha hecho ese idiota ahora?

Gabriel no tenía buena opinión de Ed. En fin, ni buena ni mala porque no había nada que provocase una buena o mala opinión sobre ese hombre. Parecía tratarla bien y lo único importante para él era su amistad con Lucy, que siempre había estado más preocupada por su negocio que por mantener una relación sentimental seria con nadie.

–No es lo que haya hecho, sino lo que no ha hecho.

–No te entiendo.

Lucy suspiró.

–Llevamos juntos casi dos años y pensé que había llegado el momento.

–¿El momento para qué?

–Me entregó una cajita… así, muy serio, y yo pensé que sería el anillo –Lucy abrió la mano, como si esperase que el anillo se materializase ante sus ojos–. Pero me regaló un collar.

Ah, Gabriel empezaba a entenderlo todo.

–¿Quieres decir que esperabas una proposición de matrimonio y te llevaste una decepción? –Gabriel soltó una carcajada, sintiendo cierta simpatía por Ed.

Ah, mujeres. No había manera de complacerlas–. Bueno, al menos te regaló un collar.

Lucy levantó los ojos al cielo.

–No lo entiendes. ¿Qué día era ayer?

Él se rascó la cabeza.

–¿Sábado por la noche?

Lucy le dio un empujón.

–No, tonto, el día de San Valentín. Tú mejor que nadie deberías recordarlo. Seguro que al cartero le salió una hernia de todas las tarjetas que tuvo que meter en tu buzón.

–Ah, sí, recibí un par de tarjetas, es verdad –Gabriel miró la papelera donde había tirado la correspondencia del día anterior.

–Era el día de San Valentín y Ed había reservado mesa en nuestro restaurante favorito, el italiano, ya sabes. Me dijo que teníamos que hablar y yo pensé que… bueno, en fin…

Gabriel suspiró.

–Pensaste que iba a proponerte matrimonio.

–Sí.

–Y no lo hizo.

–¡No! Empezó a hablar de una oportunidad para invertir dinero en una casa que quiere reformar. La pastelería va bien y…

Gabriel la miró, preocupado y divertido a la vez. Él sabía que Lucy soñaba con el típico final feliz: una gran boda, dos hijos y un perro. ¿Cómo no iba a saberlo cuando llevaban tantos años siendo amigos?

Y debido a las inseguridades de una infancia como la suya, era lógico que quisiera formar una familia propia, pero nunca había pensado que ocurriría tan rápido. Lucy era demasiado ambiciosa y estaba muy ocupada con su negocio. Además, nunca se le había ocurrido pensar en Ed como…

¿Como qué? ¿La competencia? Su estómago dio un vuelco. ¿De dónde había salido eso? Pensaba en Ed como posible marido de Lucy, como alguien permanente en su vida, se corrigió a sí mismo. Debía estar más resacoso de lo que creía.

–No lo ha hecho para enfadarte… seguramente ni siquiera sabe que eso es lo que tú esperas. ¿Lo habéis hablado alguna vez?

–No.

–Ya sabes cómo es Ed. Seguramente ni se le habrá ocurrido pensar que quieres que te pida en matrimonio –Gabriel no consideraba a Ed el tipo más listo de la Tierra, pero aunque lo fuera, tampoco sería capaz de leer el pensamiento–. Eso no significa que no sea feliz contigo, ¿no?

Lucy se encogió de hombros y Gabriel pensó que tal vez debería convencerla de que no debía casarse. No porque no le gustase Ed sino porque Lucy aún no tenía treinta años. Era demasiado ambiciosa como para casarse y tener hijos tan pronto y seguramente aquello solo era un capricho pasajero. De vez en cuando, se le metía una idea en la cabeza y se lanzaba… para cansarse de ella a los dos días. Con lo único que había estado comprometida siempre era con su negocio de pastelería.

Lo que necesitaba era una seria charla, de modo que tomó aliento:

–Mira, Lucy, tienes que olvidarte de esa obsesión repentina por el matrimonio. El matrimonio ya no es lo que era…

–¿Qué quieres decir?

–Que mucha gente prefiere vivir con su pareja, sin casarse. Y no olvides que tu negocio empieza a despuntar. Seguramente, Ed piensa que no hay prisa y tiene razón.

Ella sacudió vigorosamente la cabeza.

–Convivir con Ed no es suficiente para mí –afirmó, mirándolo fijamente con sus ojos verdes, en los que Gabriel podía distinguir unos puntitos dorados–. Mis padres nunca se casaron y mira cómo terminó todo. Tal vez si hubieran estado casados se habrían tomado la relación más en serio. Vivir con alguien no es suficiente para mí y Ed no tiene ninguna excusa. Hemos hablado muchas veces del asunto y sé que está a favor del matrimonio.

Gabriel se levantó para ir a la cocina. Necesitaba un café y una aspirina urgentemente, pero Lucy siguió hablando desde el salón.

–Ed dice que quiere casarse algún día, pero cuando se trata de pedirme matrimonio, se echa atrás. Evidentemente, atraigo a hombres que tienen fobia al compromiso y por eso necesito tu ayuda.

–¿Por qué necesitas mi ayuda? ¿Qué puedo hacer yo?

–Tú tienes muchas amigas y eres la persona con más fobia al compromiso que conozco.

–Bueno, sí… quiero decir, no –Gabriel no sabía si eso era un elogio o un insulto–. ¿Qué tiene eso que ver?

–He decidido controlar el asunto con mis propias manos –respondió Lucy, con firmeza–. Si sigo esperando que Ed dé el primer paso, cumpliré los noventa.

–Los hombres no quieren saber nada de bombas de relojería. De hecho, si le has hablado a Ed de tu reloj biológico, esa podría ser la razón por la que estás aquí.

–Pues eso. ¿Lo ves? Tú puedes aconsejarme sobre ese tipo de cosas.

Gabriel enarcó una ceja.

–No te entiendo.

–Tú puedes decirme qué es lo que hago mal, por qué Ed no me ha puesto un anillo en el dedo todavía. Puedes decirme qué hacer para ser totalmente irresistible y luego... –Lucy entró en la cocina y empezó a abrir armarios para sacar tazas– voy a pedirle que se case conmigo. El día 29 de febrero.

–¿Qué?

–Es año bisiesto –explicó Lucy–. Las mujeres tienen el mismo derecho que los hombres a proponer matrimonio y tú vas a ayudarme a hacerlo para que Ed diga que sí.

La resaca olvidada, Gabriel sacudió la cabeza.

–No, de eso nada.

–¿Por qué no?

–Porque no tengo tiempo para darte consejos sobre los hombres y, aunque lo tuviera, no estaría bien. Debes irte a casa, decirle a Ed que no te sientes feliz y forzarlo a que te pida en matrimonio.

–¿Crees que no lo he intentado? Lo hice en Navidad, pero él me volvió a decir esa tontería de «será algún día, pronto». No ha servido de nada –Lucy dejó dos tazas sobre la encimera con gran estruendo–. Me compró un frasco de colonia en mi cumpleaños, otra oportunidad perdida. Y ahora, el día de San Valentín, me regala un collar. El día más romántico del año y lo pasamos discutiendo sobre una inversión para su negocio inmobiliario.

Gabriel echó café instantáneo en su taza. Si quería sobrevivir a aquella conversación, necesitaría toda la cafeína posible.

–¿Se te ha ocurrido pensar que tal vez Ed no sea el hombre adecuado para ti?

–Pues claro que es el hombre adecuado. Nos llevamos genial, me apoya, me hace reír y lo quiero. Tiene su propio negocio, como yo, así que entiende que algunos fines de semana no pueda salir con él porque tengo que hacer tartas nupciales, que son muy complicadas.

Nada de eso era una prueba de verdadero amor, más bien tiempo libre para ir al fútbol con los amigos.

–Por favor, Gabe, algún día yo haré lo mismo por ti –insistió Lucy.

–No necesito ayuda para pedirle a una mujer que se case conmigo, muchas gracias.

–Me refería a que estaré en deuda contigo. Sé que no quieres saber nada de compromisos desde que Alison murió –Lucy lo miró, insegura. Sabía perfectamente que estaba tocando un tema delicado.

Gabriel sintió el habitual pinchazo en el pecho, donde tenía el corazón, seguramente. Era un golpe bajo mencionar a Alison. Él había dedicado su vida a guardar su recuerdo en un rincón que no quería visitar y no tenía intención de hacerlo, así que decidió cambiar de tema.

–Ahora que mencionas lo del favor... ¿quieres ir conmigo a la cena de mi bufete? –le preguntó, mostrándole el tarjetón.

–¿Quieres que vaya contigo a una cena de empresa? Pensé que tenías chicas haciendo cola. ¿No puedes ir con Tabitha? ¿O se llama Agatha? Ya me pierdo.

–Lo de Tabitha fue hace meses. Supongo que te refieres a Susan.

–¿Quién es Susan?

–Da igual, rompimos la semana pasada –incapaz de encontrar una cucharilla en el cajón, Gabriel empezó a remover su café con el mango de un tenedor.

–Bueno, en ese caso, estarás a punto de conocer a alguien nuevo... –Lucy consultó su reloj– en cualquier momento. La cena es dentro de dos semanas, así que no me necesitas como acompañante. Y, por cierto, estábamos hablando de mi problema, no de tu larga lista de conquistas.

Él negó con la cabeza.

–Esto es muy serio, no puedo llevar a cualquiera. Nuestros mejores clientes y todos los socios del bufete estarán allí, de modo que necesito una acompañante formal.

–¿Cómo de formal?

–Tabitha estará allí y las cosas no terminaron bien entre nosotros...

Lucy enarcó una ceja.

–¿Nunca se te ha ocurrido pensar que es el tipo de mujer que buscas lo que provoca esos problemas? O tal vez cómo las tratas. Nunca demuestras interés más que por un par de citas.

Gabriel se encogió de hombros.

–Siempre soy sincero con ellas. Nunca doy la impresión de querer nada serio y, normalmente, no tengo problemas, pero he salido con un par de chicas del bufete y las dos estarán allí. Todo el mundo sabe que tú y yo somos amigos, así que no habrá escenas de celos. Problema resuelto.

Lucy soltó una carcajada.

–Yo no estoy tan convencida de eso. Tus exnovias no me quieren mucho precisamente. Las mujeres sospechan de la «mejor amiga» del novio; se preguntan qué les da que ellas no pueden darle.

Gabriel la miró, perplejo.

–Siempre me dicen que les caes bien. Además, saben que sales con Ed.

–Porque intentan complacerte –Lucy suspiró–. Pero, mira, podemos llegar a un acuerdo. Iré a esa cena contigo y…

–Gracias.

–Déjame terminar. Iré con la condición de que tú me ayudes con mi plan. Necesito un punto de vista masculino –Lucy lo miró, expectante–. ¿Trato hecho? Podríamos discutir los detalles mientras corremos a la orilla del río.

Después de decir eso, se levantó y empezó a hacer estiramientos mientras Gabriel la miraba, horrorizado.

–Estás loca si crees que voy a ir a correr. Me acosté a las tres de la mañana.

¿Solo era por eso? Sentía un irracional enfado al pensar en ayudarla a empujar a Ed para que la pidiese en matrimonio. Debía ser la resaca, decidió. ¿Por qué iba a importarle a él que Lucy se casara mientras fuese feliz? Eso era lo que quería.

Pero, conociéndola, se aburriría de la idea en un par de semanas y, si de ese modo hacía que viera los defectos de Ed, tal vez todo volvería a la normalidad. Por el momento, le seguiría la corriente.

–Deja que vuelva a la cama. Iré a tu casa mañana por la noche… incluso llevaré una botella de vino. Y, aunque lo digo con cierto temor, entonces veremos si hacemos trato o no hacemos trato.

CAPÍTULO 2

A PESAR de sus protestas, después de que Lucy se fuera a correr y él cayese de nuevo en la cama, Gabriel no era capaz de conciliar el sueño.

Lucy casada.

No podía dejar de darle vueltas al asunto. Estaba claro que si ella le proponía matrimonio, Ed aceptaría. Sería un tonto si la rechazase. Y, conociéndola, estaría casada para finales de año. Su vida estaría dedicada a partir de entonces a otra persona…

¿Habría espacio para su amistad a partir de ese momento?

Cuando quería ayuda, él era el primero en ofrecérsela. Siempre había sido así, desde que eran niños. Era él quien había encontrado el local para su primera pastelería y quien la había convencido para que se mudase a Bath y ampliase su negocio. Incluso la había dejado vivir en su casa sin pagar alquiler durante seis meses. Si le ocurría algo, Lucy era la primera persona a la que acudía. Compartía con ella lo bueno y lo malo. Lo bueno porque era un placer compartir con Lucy una alegría, lo malo porque su efervescente personalidad siempre lo hacía sentir mejor.

¿Qué le parecía que otra persona hiciera ese papel?

No lo tenía claro en absoluto.

Tres horas más tarde, Lucy estaba pelando patatas en la cocina de su apartamento cuando Ed abrió con su llave y le dio un beso, mirando la sartén por encima de su hombro.

–Qué bien huele.

–Gracias.

Llevaba una camiseta y un pantalón de deporte, el pelo aún mojado de la ducha. Ed jugaba en el equipo de fútbol local y entrenaba los domingos por la mañana.

Cuando abrió la nevera para sacar dos cervezas y le ofreció una, Lucy negó con la cabeza.

–¿Qué tal el entrenamiento?

El domingo era el único día de la semana que podía relajarse. Salvo aquella mañana, claro. Estaba exasperada con la insensibilidad de Ed, pero había decidido hacer algo al respecto y, en un par de semanas, estarían comprometidos. Lucy sonrió para sí misma al pensarlo.

–Me duele un poco la rodilla, así que voy a estirar las piernas un rato –respondió Ed–. ¿Puedo ayudarte en algo?

–No, ve a sentarte. Yo voy a seguir con la comida.

Cuando entró en el salón diez minutos después, Ed estaba tirado en un sillón, viendo un partido de fútbol con los pies sobre la mesa de café.

Lucy se sentó en el brazo del sillón y revolvió su pelo rubio en un gesto afectuoso. Ed llevaba las pastillas largas en homenaje a Elvis Presley…

–He visto a Gabriel esta mañana. Quería ir a correr un rato con él, pero tenía resaca, así que he ido sola.

–Hmmm –fue la respuesta de su novio.

–Me ha pedido que vaya a una cena de empresa con él.

Ed la miró.

–¿No puede ir con una de sus novias? Tiene más que suficientes.

Lucy sonrió.

–Eso es lo que yo le he dicho. Aparentemente, ha ofendido a una que estará en la cena y necesita una acompañante neutral para evitar enfrentamientos. Es el próximo fin de semana. No te importa, ¿verdad?

Ed tomó un trago de cerveza.

–No, claro que no. Seguramente saldré con los chicos. Ve y pásalo bien.

–Gabriel va a venir a cenar mañana, pero tú estarás fuera, ¿no?

Él asintió con la cabeza, más concentrado en el partido que en la conversación.

Lucy suspiró. Una vez, cuando empezaron a salir juntos, Ed se habría enfadado si hubiera sugerido que iba a salir con Gabriel.

A los pocos novios que había tenido antes les pasaba lo mismo y lo entendía. Normalmente, hacían falta un par de meses para entender que su relación con Gabriel era totalmente platónica.

Aun así, Ed no podía evitar lanzar alguna pulla de vez en cuando. Le gustaba decir que Gabe se aprovechaba de su amistad, pero nunca había intentado impedir que se vieran y eso era lo único importante.

Después de comer, Ed empezó a meter los platos en el lavavajillas. Esa era una de las razones por la que le gustaba tanto estar con él, por esas escenas domésticas.

Lucy recordó entonces su infancia...

Había vivido con sus padres en una casita dentro de la finca de la familia de Gabriel. La casa iba con el trabajo de su padre como guardés, que se encargaba de todo lo que tuviese que ver con el mantenimiento de la finca. Y lo hacía muy bien... hasta que la bebida se hizo cargo de su vida.

Su madre había empezado a beber también, casi por simpatía hacia su marido. Las peleas eran frecuentes, verbales al principio, pero a veces incluso llegaban a las manos. Cuando cumplió dieciséis años, su madre se fue de casa y ella tuvo que hacerse cargo de todas las tareas, además de ir al instituto. Y lo tenía todo muy bien organizado, como si así pudiese poner un poco de orden en su vida.

Viendo a Ed en su cocina, ayudándola a limpiar después del almuerzo, se sentía a gusto, relajada y segura. Y quería que esa sensación se prolongase a todos los aspectos de su vida.

Quería tener hijos, formar una familia propia. Era el paso más lógico y casarse era la mejor manera de empezar esa aventura. La emocionaba pensar en ello.

Una familia propia al fin.

***

Al día siguiente sonó el timbre y Lucy miró su reloj. Gabriel llegaba tarde, como siempre. Solo en su vida privada, claro. En su vida profesional siempre era más puntual que nadie.

De hecho, era la persona más profesional que conocía, íntegro en su trabajo como abogado. Una estrella emergente en los círculos legales, Gabriel había conseguido ser socio del bufete en el que trabajaba antes de cumplir los treinta años.

Desafortunadamente, en su vida personal era muy diferente. Siempre llegaba tarde y su preciosa casa era un cuchitril.

Lucy abrió la puerta y cuando Gabriel le dio un beso en la mejilla respiró el aroma de su colonia masculina.

–Ven, vamos a la cocina.

Él sacó un par de copas de un armario y buscó un sacacorchos en un cajón mientras Lucy lo miraba con interés.

–Estás en tu casa –le dijo, burlona.

Gabriel esbozó una sonrisa.

–Te conozco bien. Después de vivir contigo seis meses, seguramente podría encontrar cualquier utensilio con los ojos cerrados.

–A ver si es verdad. ¿El cuchillo de la carne?

Gabriel abrió un cajón y sacó el cuchillo.

–Eso ha sido pura suerte. ¿El aceite de oliva?

Él señaló un armario a la izquierda.

–En el armario de los ingredientes y las especias.

Era cierto. Todo en su cocina estaba ordenado y colocado.

–¿El secador de lechuga?

–¿Qué es eso?

Ella rio mientras Gabriel abría la botella de vino.

–Bueno, vamos a empezar –Lucy tomó las copas y las llevó al salón, tan ordenado como la cocina, y se sentó en el sofá mientras él lo hacía en un sillón–. Bueno, ¿por dónde crees que deberíamos empezar?

Gabriel la miró mientras servía el vino.

–No lo sé.

–¿Crees que sería muy raro si yo misma comprase el anillo?

–Para empezar, quiero que sepas que esta me parece la idea más absurda que has tenido nunca –empezó a decir Gabriel–. Incluyo aquella vez, cuando éramos pequeños y me convenciste de que mi madre se alegraría si pintábamos la puerta del salón de amarillo con mis ceras de colores.

Lucy soltó una carcajada y él esbozó una sonrisa. Cuando sonreía le salían arruguitas alrededor de los ojos…

Siempre le había parecido que guardaba esa sonrisa para ella y solo para ella, pero sin duda muchas otras mujeres pensaban lo mismo.

–Pero como has aceptado ir conmigo a la cena, te ayudaré –terminó Gabriel.

–Muy bien.

–Pero si lo hacemos, vamos a hacerlo en serio y a mi manera, ¿de acuerdo?

–De acuerdo –asintió Lucy.

Una vez que Gabriel se comprometía con algo, se lo tomaba muy en serio. Era una de las cosas que más le gustaban de él.

Gabe nunca la había defraudado. Al contrario que muchas otras personas en su vida, pensó, sintiendo una punzada de pena. Ese recuerdo, el día que pintaron la puerta, le recordaba cuánto le gustaba pasar tiempo con él de niña.

Gabriel era hijo único, como ella, pero sus padres eran cariñosos y ricos. Esto último le daba igual, pero siempre había envidiado su felicidad y el cariño que le daban. La familia Blake siempre la había tratado bien y para ella la «casa grande», como solía llamarla, había sido un refugio de las peleas familiares.

La voz de Gabriel la devolvió al presente:

–Bueno, solo quedan dos semanas hasta el veintinueve de febrero, así que tenemos que empezar a hacer planes. Planes radicales para que Ed se entere de lo que pasa –Gabe se echó hacia atrás, mirándola a los ojos–. Te conozco y sé que querrás organizar una gran fiesta para pedirle que se case contigo, pero eso no es suficiente.

–¿Por qué no?

–Para que esto salga bien tienes que descubrir por qué no te lo ha propuesto él. Si descubrimos eso, podremos cambiar su forma de pensar sobre el asunto.

–¿Y cómo vamos a hacerlo?

Le maravillaba lo bien que la conocía, tan bien que casi le daba miedo. Una de las opciones que había estado considerando era organizar una fiesta con fuegos artificiales. Otra, contratar un cuarteto de cuerda para hacerle la proposición con música de fondo…

En fin, el entusiasmo podía comprometer su sentido común y, por eso, la perspectiva de Gabriel era tan necesaria.

–Vamos a estudiar toda tu vida –respondió él–. Tenemos que descubrir por qué Ed necesita que le empujes a comprometerse. Observaremos tu vida doméstica, tu vida social, tu armario, tu aspecto… –Gabriel la miró de arriba abajo.

Aunque tenía los ojos un poco hinchados por falta de sueño, eran tan atractivos como su pronunciada mandíbula o su decidida boca. Incluso cansado era guapísimo, pensó Lucy.

«Y encima va a criticar la ropa que uso».

–¿Qué pasa con mi aspecto?

–Nada, cariño, salvo que Ed está acostumbrado a verte siempre de la misma forma. Queremos que te vea con nuevos ojos y, para eso, lo más fácil es cambiar tu aspecto. Conozco a una compradora personal en Jolly's… déjamelo a mí.

–Ya, bueno –murmuró Lucy, insegura–. Pero si tu intención era animarme, te aseguro que no lo estás consiguiendo.

–¿Qué hacéis Ed y tú normalmente?

–¿Un día de diario o un fin de semana?

–Un día de diario. ¿Qué soléis hacer? ¿Cuántas veces os veis a la semana?

–¿Esto qué es, un interrogatorio?

Gabriel siguió mirándola, expectante, con una ceja levantada.

–Yo me levanto temprano, ya lo sabes. Normalmente a las cinco, para poder llegar temprano a la pastelería, así que Ed no suele dormir aquí los días de diario.

–¿Entonces solo os veis los fines de semana?

–Pero me llama todos los días –respondió Lucy.

Ed tenía una inmobiliaria y se dedicaba a comprar casas viejas para reformarlas y venderlas después. Aún no se había convertido en el negocio millonario que él esperaba, pero no llevaba mucho tiempo. Había que darle una oportunidad. A Lucy le gustaba que tuviese un negocio propio y que fuera responsable de su propio éxito o fracaso. Era algo que ella entendía muy bien. Después de todo, había tardado años en abrir el suyo, de modo que tenían mucho en común y eso siempre era bueno en una relación.

–Imagínate casada con él y viviendo juntos en este apartamento.

Lucy miró alrededor, satisfecha. A ella le encantaba su apartamento, lleno de muebles raros que había comprado en mercadillos o tiendas de antigüedades. Gabriel siempre le tomaba al pelo, diciéndole que estaba haciendo un nido, pero a ella le gustaba.

–No me importaría.

–Imagina que te vas de viaje a algún sitio y le dejas aquí solo –siguió Gabriel–. ¿Cómo estaría tu apartamento cuando volvieras?

Lucy hizo una mueca.

–Ed no sabe cocinar, así que seguramente viviría

de pizzas y hamburguesas. Y el apartamento estaría como su casa, hecho un asco. O como la tuya –respondió, tirándole un cojín.

–Yo no soy tan desordenado.

–Tu casa es un desastre, Gabe. Solo estaba ordenada cuando yo vivía allí porque no puedo soportar el desorden.

–Bueno, da igual. Estábamos hablando de Ed, no de mí. ¿Qué más?

Lucy lo pensó un momento.

–Creo que no sabe usar la lavadora.

–Patético.

–Y las plantas estarían muertas. Nunca se acuerda de regarlas.

Gabriel levantó una mano.

–Ya he oído más que suficiente. Y voy a ser brutal: te has convertido en la madre de Ed.

Ella se quedó callada un momento.

–¡No digas tonterías! –explotó después–. Lo estás retorciendo todo. Lo dices como si Ed fuese un vago que no mueve un dedo para nada.

–Más o menos.

Lucy se levantó, enfadada.

–Te equivocas. Somos personas diferentes con diferentes prioridades, nada más. Debe haber millones de parejas como nosotros.

–Seguro que sí –asintió él–. Pero tú crees que tienes el tradicional: él caza, yo cocino. El único problema es que, a menos que Ed cambie, tú tendrás que cazar y cocinar. Si te casas con él, tú serás quien tenga que ganar el pan.

–¡Eso no tiene nada que ver!

–¡Tiene todo que ver!

Lucy lo miró, en jarras.

–Bueno, vamos a verlo desde otra perspectiva. ¿Le has dicho que vas a ir conmigo a una cena de trabajo?

–Sí –respondió Lucy.

–¿Y qué ha dicho Ed?

–Que le parecía estupendo. Incluso me deseó que lo pasara bien –respondió Lucy, con tono triunfante.

–Pues eso es un problema.

–¿Por qué?

–Eso a mí me viene bien, pero está claro que Ed no tiene ningún miedo.

–Pero es algo positivo que sea tan razonable, ¿no?

–Ahí es donde te equivocas –Gabriel tomó su mano y Lucy sintió que su pulso se aceleraba. Pero no hizo caso, pensando que era el esfuerzo que hacía para no enfadarse–. Si yo tuviese una relación contigo, no me gustaría nada que fueras a cenar con otro hombre.

–Pero tú eres mi amigo y Ed lo sabe.

–Me daría igual que fuese tu amigo.

Ella lo miró a los ojos, en los que solo había genuino cariño y preocupación por ella. Pero, de repente, sintió algo cálido en el estómago, la chispa de un recuerdo mucho tiempo atrás olvidado. O, más bien, un recuerdo que había querido olvidar.

¿Qué le estaba pasando?

–Solía ser así al principio –dijo Lucy–. Entonces no podía apartarse de mi lado.

–Pues entonces, más a mi favor –Gabriel soltó su

mano para tomar la copa–. Está acostumbrado a que siempre estés ahí, a que no mires a nadie más y a que nadie más te mire a ti…

–¡Oye!

–No estoy criticándote, solo te digo que Ed no tiene que hacer un esfuerzo porque tú siempre estás ahí. Te ha tomado la medida y no tiene que esforzarse para nada.

–Pero nos llevamos muy bien…

–Ed no cree que deba pedirte en matrimonio porque ya te tiene –siguió él–. Lo que hay que hacer es alterar esa percepción un poco, hacer que tiemble el suelo bajo sus pies. Que se dé cuenta de lo fabulosa que eres, así tendrá que esforzarse para retenerte a su lado.

–¿Y cómo hacemos eso, Sherlock?

–Tienes que descolocarlo.

–¿Qué quieres decir?

–Una de las cosas que puedes hacer es verme a mí más a menudo –sugirió Gabriel–. Además, me vendría bien. Te echo de menos.

Sintiendo un extraño calor en el estómago, Lucy tomó un trago de vino. Experimentaba una extraña sensación, como un recuerdo que no lograba atrapar…

Bueno, era normal estar nerviosa. Al fin y al cabo, estaba planeando su futuro.

–¿Ah, sí?

También ella lo había echado de menos al principio, cuando se fue de su casa. Había sido estupendo verlo todos los días durante esos meses, cuando llegó a Bath.

–Sí, claro –Gabriel sonrió–. Mi casa está más revuelta sin tu obsesión por el orden y puedo usar el mando de la televisión porque es solo mío, pero echo de menos tener la nevera llena, la comida hecha y encontrar a alguien en casa cuando vuelvo de trabajar. Me gustaba hablar contigo todos los días.

Lucy tomó otro sorbo de vino, recordándose a sí misma que estaba hablando con Gabe, su mejor amigo, que solo pensaba en su interés. Él no intentaría romper su relación con Ed, solo intentaba ayudarla.

–Ah, qué bonito. Pero tienes mucha cara de criticar a Ed cuando tú eres tan desordenado como él.

–Bueno, pero no estamos hablando de mí. Solo digo que me gustaría que siguieras viviendo conmigo, a pesar de todos tus defectos. No he dicho que tengas que cambiar.

–Sí, bueno…

Gabriel volvió a llenar la copa de Lucy y luego la suya.

–¿Entonces estás de acuerdo?

–Sí.

–Estupendo. ¿Por qué no vienes a comer a casa? Mis padres están deseando verte.

–¿A Gloucestershire? –Lucy hizo una mueca.

En general, evitaba en lo posible volver allí, como si la nueva vida que había creado para sí misma desde que se marchó pudiera verse amenazada al visitar la antigua. Sus padres se habían ido de Gloucestershire tiempo atrás, por supuesto, pero los recuerdos seguían allí.

–Claro, a comer un buen asado. ¿No te apetece?

Lucy lo pensó un momento. Sabía que no debía evitar las cosas que tuvieran que ver con su infancia. Era una adulta y tal vez volver a Gloucestershire sería bueno para matar un par de fantasmas.

Y debía admitir que tenía razón. Tal vez si ponía cierta distancia, Ed la echaría de menos. Últimamente habían caído en la rutina y hacían lo mismo todos los días.

–Bueno, no estaría mal. Y supongo que tienes razón: Ed debería echarme de menos.

–Desde luego que sí. Tiene que aprender a apreciarte un poco más y a sentirse afortunado de tenerte. Está demasiado seguro de ti, esa es la cuestión. Mientras tanto, habrá que ver qué podemos hacer con tu aspecto.

Lucy miró la camiseta y el pantalón vaquero sintiéndose incómoda al imaginar a Gabriel repasando su armario.

–Tampoco está tan mal.

–Siempre llevas lo mismo. Ah, además quiero verte con Ed en público.

–Hemos quedado mañana en ese bar nuevo en George Street. Puedes ir y observar todo lo que quieras.

–¿Con quién has quedado?

–Con los amigos de Ed. Bueno, también son amigos míos. Digger y Yabba y sus novias, Suzy y Kate.

–Digger y Yabba –repitió Gabriel–. Parecen personajes de una comedia televisiva.

Lucy soltó una carcajada.

–Son apodos. Nadie en la pandilla de Ed se llama por su verdadero nombre. Ni siquiera Ed.

–¿En serio? ¿Cómo se llama?

–Roland –respondió Lucy, poniendo los ojos en blanco cuando Gabriel se atragantó con el vino–. Lo llaman Ed desde el instituto y yo lo prefiero. Roland es horrible.

Gabriel sacudió la cabeza.

–Madre mía. Qué nombres.

–Sí, es verdad. Hay algo raro en llamarse Yabba cuando tienes treinta años y eres bombero –Lucy se echó hacia atrás en el sofá–. ¿Entonces qué te parece? ¿Quieres pasarte a tomar una copa?

–Sí, claro, será interesante –respondió Gabriel–. ¿Habrá alguna chica soltera?

Ella levantó las manos al cielo.

–¿No puedes olvidarte de las mujeres por una noche? ¿Es demasiado pedir? Debes concentrarte en Ed y en mí, no ponerte a charlar con la primera que llegue.

–Lo sé, lo sé. ¿Pero habrá alguna?

Lucy suspiró pesadamente.

–Bueno, está Joanna, la hermana de Kate. Lleva algún tiempo soltera y ahora sale con nosotros, pero ha pasado por una ruptura horrible y lo último que necesita es salir con alguien como tú.

–Oye, eso duele –protestó él–. Solo lo digo porque estaría bien no ser el único soltero, nada más.

–Ya –dijo Lucy, incrédula–. ¿Entonces vendrás?

–De acuerdo.

–A las ocho en Hardings. Te diría que no llegases tarde, pero no valdría de nada, ¿verdad?

CAPÍTULO 3

LUCY miró su reloj por tercera vez. Las nueve menos cuarto y Gabriel aún no había aparecido.

Solía llegar tarde y normalmente no le molestaba, pero aquella noche estaba nerviosa. Y molesta consigo misma por estarlo. A pesar de haberle pedido ayuda, los comentarios negativos sobre su relación con Ed la habían intranquilizado y quería demostrarle que estaba equivocado y que Ed y ella lo pasaban muy bien juntos.

Aunque esa noche no estaba tan segura.

Ed estaba de mal humor por un problema estructural en la casa que estaba reformando y había pedido un whisky en lugar de su cerveza habitual… y aún no eran las nueve. Tal vez sería mejor que Gabriel no apareciese porque lo último que quería era que viese a Ed emborrachándose al otro lado de la mesa.

Como si lo hubiera conjurado, la puerta se abrió de golpe y Gabriel entró en el bar mirando su móvil, sin ninguna prisa.

Por el rabillo del ojo Lucy vio que, Joanna, la única chica soltera del grupo, se erguía un poco al verlo e intentó mirarlo con objetividad.

Llevaba una camisa oscura y ajustada al torso que

destacaba el gris azulado de sus ojos, marcando a la vez unos hombros anchos y una cintura estrecha.

–Vaya, has venido por fin.

–¿Llego tarde? –le preguntó Gabriel mientras se inclinaba para darle un beso en la mejilla.

Al notar el roce de sus labios se le puso la piel de gallina y Lucy se apartó en cuanto pudo.

–Lo normal –respondió, un poco nerviosa–. Bueno, chicos, os presento a mi amigo Gabriel. Gabe, te presento a Digger y Kate, Yabba y Suzy. Digger y Yabba juegan al fútbol con Ed. Y ella es Joanna –Lucy señaló a la rubia–. Y ya conoces a Ed, claro.

Ed levantó su vaso de whisky desde el otro lado de la mesa y, después de sentarse entre Joanna y Yabba, Gabriel invitó a una ronda.

Ed estaba emborrachándose poco a poco y Lucy tomó un trago de zumo de naranja con gesto desafiante. Si era así como iba a transcurrir la noche, con su novio y su mejor amigo sin hacerle ni caso, tendría que disfrutar de su propia compañía.

No dejaba de mirar a Gabe mientras charlaba con Kate y Suzy, que estaban organizando un viaje para las próximas semanas y que la invitaron sin mucha convicción porque las dos sabían que los sábados era el día más ajetreado para ella.

La melena rubia de Joanna brillaba cada vez que se inclinaba hacia Gabriel. Ninguno de los dos prestaba atención al resto de la mesa y eso la molestó. Y tenía derecho a estar molesta, además. Ella lo había invitado a unirse al grupo para ver cómo interactuaba con Ed, pero no estaba haciéndole ni caso.

De vez en cuando, escuchaba parte de su conversación:

–… salgo a cenar de vez en cuando, nada serio, una cena relajada…

El mismo Gabriel de siempre, pensó. Ya estaba avisando a Joanna de que no habría nada serio entre los dos.

Era guapísimo, había que reconocerlo. Era comprensible que Joanna estuviese como hipnotizada. Gabriel parecía tener el don de hacer que una mujer se sintiera única y por mucho que lo mirase, era como si se hubiera vuelto invisible.

Lucy se levantó para ir a la barra a pedir otra copa. ¿Por qué iba a importarle que Gabriel charlase con otra mujer? No era algo que no hubiese visto muchas otras veces, pensó, tomando una carta de la barra. Si iba a ser una noche larga, necesitaría algo para pasar el tiempo.

Lucy miró su reloj: las siete menos cuarto. Solo llevaban corriendo cinco minutos y ya estaba agotada. Apenas había pegado ojo esa noche, dando vueltas y vueltas en la cama. Cuando por fin se quedó dormida eran más de las tres y le dolía la cabeza. Gabriel, sin embargo, parecía tan fresco como una rosa a pesar de la hora. Se preguntó si habría quedado con Joanna… aunque no tenía nada que ver con ella ni le importaba para nada.

–Bueno, ¿qué conclusiones sacaste anoche, gurú de las relaciones? –le espetó.

Gabriel se detuvo y la tomó del brazo para llevarla hacia un banco.

–Vamos a sentarnos un rato. Pareces cansada.

En realidad, estaba sin aliento y, francamente, la idea de sentarse unos minutos sonaba de maravilla. Hacía una mañana fría y podía ver el aliento concentrándose frente a su cara. Gabriel abrió una botella de agua y se la pasó.

–Fue interesante.

–Me sorprende que te fijases en Ed o en mí. Te pasaste toda la noche intentando sacarle el número de teléfono a Joanna.

–Solo estaba disimulando. No queremos que Ed sospeche nada, ¿verdad?

–No, pero…

–¿No crees que habría sospechado algo si me hubiera pasado la noche mirándoos fijamente? Aunque la verdad es que apenas os vi juntos.

–Ya, bueno… ¿entonces cuáles son las conclusiones? Dime que esto ha servido de algo.

–Me pasé un par de horas observándoos y lo que vi confirmó lo que ya sabía.

–¿Qué sabías?

–La razón por la que a Ed no se le ocurre pedirte en matrimonio.

–¿Y cuál es esa razón?

–Que eso no le dará algo que no tenga ya. Salvo tal vez las facturas de la boda.

Lucy dejó escapar un gemido.

–Francamente, yo esperaba algo más interesante.

–Esa es solo la versión resumida –Gabriel tomó

un trago de agua antes de empezar a hacer estiramientos para no perder el calor corporal.

Lucy no se movió. Sus músculos estaban tan agarrotados esa mañana que nada serviría para relajarla.

–Lo primero, mira la gente con la que sales.

–¿Qué quieres decir? No te vi llorando anoche mientras charlabas con Joanna.

Él sacudió la cabeza.

–No me refiero a eso. Todos tus amigos están a punto de casarse. Bueno, salvo Joanna, pero por lo que me contó anoche, también ella quiere sentar la cabeza.

–Digger y Kate no están casados, viven juntos.

–Kate está intentando convencerlo para que se casen. Lo mismo que te pasa a ti con Ed. La diferencia es que Digger y Kate viven juntos y Ed se agarra a su apartamento de soltero con uñas y dientes.

–No sé qué quieres decir.

–Que las mujeres están más interesadas en el matrimonio que los hombres. En general, los hombres no están interesados en atarse a nadie.

–Casarse no es atarse a nadie –protestó ella–. Es un compromiso de estabilidad.

–Vivir juntos también es un compromiso, pero no tienes que gastarte una fortuna en la boda, esa es la única diferencia.

Lucy sacudió la cabeza.

–Bueno, ¿y qué?

Gabriel respiró profundamente, como hacía siempre que iba a decir algo que sabía iba a provocarla.

–Tu decisión de casarte es un deseo inconsciente

de ser igual que la gente de tu grupo. Y Ed nunca te lo pedirá a menos que lo acorrales porque casándose no va a tener algo que no tenga ya. Tiene la libertad de hacer su vida mientras tú cuidas de él… ¿para qué va a gastarse una fortuna en hacerlo oficial? Seguramente, tarde o temprano te pedirá que viváis juntos, pero no tiene prisa.

–Todo eso es psicología de aficionado y empieza a ponerme de los nervios. Lo único que quiero es que me eches una mano –Lucy se levantó, llevándose una mano a la sien en un gesto de dolor–. No debería haberte contado nada.

Gabriel se encogió de hombros.

–Pensé que querías mi ayuda.

–Y así es.

–Pues lo siento, pero no voy a decirte lo que tú quieres escuchar. Yo te doy mi opinión, haz con ella lo que quieras. Pero lo que digo es que si no cambias nada en tu relación, si sigues como hasta ahora haciendo el papel de esposa antes de serlo de verdad, entonces no esperes que Ed te pida en matrimonio.

–No espero que me lo pida él, voy a hacerlo yo.

–¿No crees que deberías preguntarte por qué no ha tomado Ed el toro por los cuernos? Deberías admitir que eso sería bueno para vuestra relación. Por el momento, Ed no cree tener que hacer ningún esfuerzo. Míralo anoche, con su vaso de whisky al otro lado de la mesa, sin hacerte ni caso. ¿Por qué cree que está bien tratarte así? Porque tú has hecho que piense que está bien.

Lucy lo miró, muy seria. El problema de su amistad con Gabriel era que a veces discutían por discutir o porque ninguno de los dos quería ceder. Pero sería una tonta si no admitiese que lo que decía era cierto.

–Muy bien, admito que podrías llevar parte de razón.

Gabriel asintió con la cabeza.

–Menos mal.

–Bueno, ¿entonces qué crees que debo hacer? Me pongo en tus manos.

–El siguiente paso debería ser tu aspecto.

–¿Qué tiene de malo mi aspecto?

–No tiene nada de malo, pero Ed tiene que fijarse en ti. Se ha acostumbrado a tu forma de vestir y ya no se fija.

–No sé. Bueno, de acuerdo –dijo Lucy, no del todo convencida.

–Entonces, vete a casa. Nos vemos el jueves por la noche.

Lucy echó el cierre a la pastelería y, después de aguzar el oído para comprobar que se activaba la alarma, se dirigió a su desvencijado Mini. Ya había oscurecido y maldijo la desastrosa calefacción del coche, que le quemaba los pies, pero dejaba el resto de su cuerpo helado, mientras se abría paso entre el tráfico del centro de la ciudad.

Tenía un nudo en el estómago. No le gustaba ir de compras y prefería hacerlo por Internet, donde podía comprar lo que quisiera en la comodidad de su casa, con una taza de café en la mano, y devolver lo que no le gustaba. De hecho, tenía aspiraciones de ampliar su negocio por Internet.

Suspirando mientras aparcaba, pensó que si quería ampliar su negocio no podría invertir dinero en esa casa de la que Ed le había hablado. Pero él lo entendería, estaba segura. Ed era sólido como una roca, una de las cosas que lo había atraído de él.

No era impredecible y testarudo como Gabriel. Aunque no tenía por qué pensar en Gabriel porque ella no era una de sus múltiples novias, afortunadamente. En realidad, no sabía cómo lo aguantaban sin saber si habría o no una próxima cita.

Lucy tuvo que silenciar la vocecita que le decía que ser impredecible era más interesante… y un millón de veces menos seguro.

El jueves por la noche, Gabriel había pedido un favor a una amiga, compradora personal en unos grandes almacenes, para ayudar a Lucy. No para comprar nada sino para que se probase cosas nuevas, cosas que gustaban a los hombres y que, según él, no tenían nada que ver con lo que las mujeres creían que gustaba a los hombres.

–Una sutil distinción, pero ya verás como al final entiendes que es importante –le dijo, mientras la llevaba por la acera. Había dejado aparcado el Aston Martin cerca de su Mini que, en comparación, parecía un viejo cacharro–. Unos cuantos cambios podrían salvar vuestra relación.

–Yo nunca me he quejado de mi relación con Ed –le recordó Lucy–. De hecho, siempre me hace cumplidos por la ropa que llevo. Y siempre nota cuándo me he cortado el pelo, por ejemplo.

–No digo que no. Eso significa que Ed sabe respetar la regla.

–¿Qué regla?

–Si no tienes nada bueno que decir, no digas nada. Tu chica siempre está guapa, especialmente por las mañanas. Y si algún día te pregunta si algo le hace gorda, debes responder que no.

–¿Aunque sea verdad?

–Especialmente si es verdad.

Lucy hizo una mueca.

–¿Quieres decir que los hombres juegan con nosotras?

–Tal vez esté exagerando un poco, aunque no mucho. Hay ciertas reglas no escritas para los hombres.

–¿Qué reglas?

–Por ejemplo, que no vale la pena ser brutalmente sincero. Hay que decir lo que ella quiere escuchar para disfrutar de una vida tranquila.

–Bueno, eso también sirve para las mujeres.

–Sí, es cierto –admitió Gabriel–. Pero recuerda que los hombres no se fijan en lo que lleva una mujer ni la mitad de lo que se fijan otras mujeres.

–En ese caso, ¿para qué estamos aquí? Mira que eres exasperante.

–Queremos que Ed se fije en ti, ¿no? Que te mire con nuevos ojos.

–Sí, supongo que sí.

–Pues la mejor manera de hacer que un hombre se fije en una mujer es cambiando su aspecto exterior.

Gabriel la llevó del brazo hasta los grandes almacenes Jolly's, un sitio muy elegante con lámparas de araña y carísimas alfombras. Frente al ascensor de cristal los esperaba una mujer rubia impecablemente vestida a la que Gabe besó en la mejilla. Demasiada familiaridad, ¿no?

–Lucy, te presento a Amanda.

–Encantada. Muchas gracias por encontrar un rato para nosotros.

–De nada, es un placer.

Amanda los llevó a una tienda en la segunda planta y Lucy, un paso por detrás de ellos, se sentía como una pordiosera con sus vaqueros y su jersey.

–Va a casarse pronto y le vendría bien un cambio de imagen –oyó que decía Gabriel.

La rubia señaló un sofá de piel y luego desapareció a través de una puertecita. En cuanto estuvieron solos, Lucy le dio un codazo en las costillas.

–¡Ay! ¿Qué haces?

–Te lo mereces. ¿Me vendría bien un cambio de imagen ¿Por qué? ¿Qué hay de malo en mi imagen?

–Cálmate –Gabriel levantó las manos en un gesto de rendición–. Solo quería que supiera que tú y yo no estamos juntos. Amanda nos está haciendo un gran favor ya que tú tienes tanta prisa –añadió, haciéndole un guiño.

Lucy puso los ojos en blanco.

–¿Quieres decir que una de tus exnovias va a decirme cómo debo vestir?

–Baja la voz. No es una exnovia sino la amiga de un amigo que…

–Ya, seguro.

–¿Quieres calmarte? Amanda es muy buena en su trabajo y tú quieres probarte cosas nuevas, ¿no? ¿Cuál es el problema?

Ella sacudió la cabeza, impaciente, pero sonrió cuando Amanda volvió cargada de ropa y la miró de arriba abajo con ojo de experta.

–Talla treinta y seis, una más pequeña en vaqueros.

Era una afirmación, no una pregunta.

–Es verdad –tuvo que admitir Lucy.

Amanda se acercó al sofá con una sonrisa en los labios.

–Para eso me pagan. Ven conmigo, vamos a probarte varias cosas para ver qué colores te sientan mejor –le dijo, antes de mirar a Gabriel–. Ponte cómodo. Te traerán un refresco enseguida.

Él sonrió, arrellanándose en el sofá, con los brazos en la nuca.

Lucy siguió a Amanda al probador. No era uno de esos diminutos cubículos donde tenías que colocarte en posturas imposibles para probarte la ropa sino un saloncito con una otomana, varios percheros llenos de ropa y un gran espejo en la pared.

Fuera había un espejo triple donde podías verte desde todos los ángulos… y donde podían verte también tus acompañantes. En aquel caso, Gabriel. Era ridículo, pero se sentía tímida.

Conocía a Gabriel de toda la vida prácticamente y, además, no debería importarle lo que él pensara.

***

Gabriel sacó su smartphone, no solo para comprobar sus mensajes sino para no tener que hablar con Amanda, que había vuelto envuelta en una nube de perfume. Aunque era una chica atractiva, no tenía tiempo para otra aventura.

Una empleada apareció en ese momento y depositó una bandeja con refrescos sobre la mesa, al lado del sofá.

Lucy salió entonces del probador con una falda negra y una blusa con estampado de flores. Por su expresión, parecía gustarle. Claro, porque podría ser algo de su propio armario.

Amanda sacudió la cabeza.

–Está bien, pero ahoga tu figura por completo –le dijo, tirando hacia atrás de la blusa–. ¿Ves como así queda mejor? Me gustaría verte con algo más llamativo.

–Amanda tiene razón –dijo Gabriel.

–Eres tan delgadita que esas flores te ahogan.

Lucy desapareció tras la cortina y Gabriel se dedicó a revisar distraídamente unos correos. Pero cuando levantó la cabeza, se quedó helado al verla. ¿Desde cuándo tenía ese tipazo?

Lucy tenía una silueta frágil, pero la blusa roja se pegaba a sus curvas y los pantalones pitillo negros parecían abrazar su figura.

De repente, se le quedó la boca seca y tuvo que tomar un trago de refresco.

–Esos pantalones no son de su estilo –se oyó decir a sí mismo–. Dile que tienes una pastelería, Lucy. Ese tipo de ropa no es práctico para ti.

Ninguna de las dos mujeres le hizo caso.

–Pruébatelos con estos taconazos –sugirió Amanda–. Así parecerás más alta.

Lucy se puso unos zapatos de color beige y Gabriel pulsó sin querer el botón *Enviar* de un email que había dejado a medias.

La altura que le daban los zapatos hacía que sus piernas pareciesen larguísimas...

Lucy lo miraba esperando su opinión, pero Gabriel tuvo que aclararse la garganta.

–Muy bonito –fue lo único que pudo decir.

–Tal vez deberías probarte esto... –Amanda sacó un vestido dorado de satén.

Incluso en la percha podía ver que era muy ajustado y el corazón de Gabriel dio un vuelco dentro de su pecho.

–No me parece buena idea.

Amanda se volvió para mirarlo, exasperada.

–Podrías ser un poco más positivo. ¿De repente sabes mucho de estilismo?

–Es que él solo sale con estereotipos –dijo Lucy–. Chicas guapas con taconazos y tops ajustados. Y como yo soy lo contrario a esas chicas, no puedo estar guapa con la ropa que ellas llevan. ¿Verdad que no, Gabe?

–Yo no he dicho eso.

–A ojos de Gabriel, no soy una mujer –siguió Lucy–. Más bien una especie de híbrido.

Amanda soltó una carcajada.

–Yo creo que eres estupenda.

–Pero Gabriel no me pondría este vestido como no se lo pondría a ninguno de sus compañeros de rugby, ¿eh?

–No digas tonterías. Yo me refería a... bueno, es diferente al tipo de ropa que sueles usar.

–¿Y no es para eso para lo que hemos venido aquí?

Gabriel apartó la mirada. No recordaba la última vez que se había sentido tan incómodo en compañía de una mujer y se alegró cuando la pareja desapareció en el vestidor.

No había contado con aquello. Había esperado que Lucy se probase un par de prendas diferentes a las que solía usar, pero no que tuviera un aspecto tan sexy.

La cortina se abrió de nuevo y Lucy se acercó a él, muy segura de sí misma. El vestido dorado se pegaba a su piel y, gracias a los espejos, podía verla desde todos los ángulos.

Gabriel tiró del cuello de su camisa, que de repente lo ahogaba. Lucy tenía curvas. Una cintura estrecha, unas piernas larguísimas...

Ella sonreía, esperando su opinión, pero la sorpresa al verla tan sexy, tan adulta, lo dejó sin palabras. Y debió delatarle su expresión porque Lucy lo miró, desconcertada.

–¿Qué ocurre? ¿No te gusta?

Gabriel reconocía esa sensación de ahogo porque solía ocurrirle cuando conocía a una mujer atractiva, pero no estaba acostumbrado a sentir eso por Lucy.

Ella era su mejor amiga y nunca se había fijado en su aspecto físico, pero seguramente era la pista que Ed necesitaba para despertar de una vez.

«Estás celoso».

Ese pensamiento lo pilló por completo desprevenido. En fin, tal vez estaba un poco celoso porque el matrimonio de Lucy podría arruinar su amistad.

¿Era por eso? Nervioso, Gabriel tuvo que hacer un esfuerzo para hablar:

–Estás muy guapa, Lucy. Me encanta.

–Me mirabas con una expresión muy rara.

–Porque estoy acostumbrado a verte en camiseta y vaqueros.

–Creo que también necesitarías ropa interior adecuada –intervino Amanda, mostrándole un conjunto de encaje negro–. ¿Qué talla usas?

Gabriel estuvo a punto de atragantarse con el vino. Tenía que irse de allí y rápido.

–Tengo que… irme urgentemente. Una cosa de trabajo, no lo puedo evitar… lo siento.

–No pasa nada, te llamaré después. Y no trabajes tanto, tienes ojeras –Lucy pasó un dedo por su cara y Gabriel sintió que le ardía la piel. El aroma de su colonia lo envolvía y era como si sus cinco sentidos estuvieran más alerta que nunca.

Amanda lo vio dirigirse al ascensor y se acercó para decirle al oído:

–Llámame.

Gabriel se alegró cuando las puertas del ascensor se cerraron y salió de los grandes almacenes tan rápidamente como pudo, disfrutando del aire fresco en la cara. Mientras volvía a casa apenas veía el tráfico ni la gente que paseaba por la calle. Una sola persona llenaba sus pensamientos: Lucy.

Aquel era un juego totalmente diferente y al que no sabía cómo jugar.

CAPÍTULO 4

–ASÍ que has ido de compras con una mujer. ¿Has perdido la cabeza?

Gabriel se colgó al cuello una toalla y tomó un trago de agua. Jugando al squash con Joe, un compañero de trabajo, pensaba liberarse de la tensión, pero por el momento no había funcionado.

No había sido capaz de concentrarse en dos largos días. Cada vez que lo intentaba, en sus pensamientos aparecía Lucy: su aspecto en el probador, cómo olía, el precioso color de su piel.

No podía recordar que otra mujer lo hubiera hecho sentir así, salvo Alison, e incluso ella empezaba a convertirse en un recuerdo borroso.

Estaba empezando a entender que la razón por la que no quería que Lucy se casara y tenía menos que ver con el impacto en su amistad y más con el hecho de que iba a casarse con otro hombre.

La quieres para ti mismo, pensó. Y era incapaz de aplastar ese pensamiento. Sin querer, hacía comparaciones con Alison: su encantadora sonrisa, mientras la de Lucy hacía que todas las células de su cuerpo temblasen. El pelo rubio de Alison, tan sedoso y bonito, aunque los locos rizos de Lucy hacían que desease enredarlos entre sus dedos y no soltarlos nunca.

–No en el sentido que tú crees –respondió–. Va a proponerle matrimonio a su novio. Por lo visto, como es año bisiesto, es normal pedir matrimonio a los novios y no al revés. Estaba ayudándola a elegir algo de ropa.

Para su sorpresa, Joe asintió con la cabeza.

–Mi hermana también lo hizo. Le pidió a su marido que se casara con ella hace ocho años. El pobre no pudo escapar.

Gabriel se pasó las manos por el pelo.

–Lucy es mi amiga. Más que una amiga, prácticamente una hermana, pero verla probándose esa ropa... nunca me había fijado en ella de esa forma. Quiere pedirle a Ed que se case con ella y yo debería ayudarla, pero ahora mismo lo único que me apetece es darle un puñetazo a ese tipo.

Joe lo miró como si se hubiera vuelto loco.

–Lo dirás de broma, ¿no? Tienes que salir con la chica nueva de la oficina. Así te olvidarás de ella.

Gabriel enterró la cara en la toalla un momento. No sentía el menor interés por la chica nueva, pero en otra ocasión seguramente ya estaría saliendo con ella. Sentía como si su mundo se hubiera puesto patas arriba.

–Tal vez tengas razón –murmuró, más para no seguir hablando del tema que por otra cosa–. Llevo dos semanas sin salir con nadie. Entre el caso Pryor y Lucy no tengo tiempo...

–Bueno, pues termina con eso de una vez y vuelve a tu vida normal. Cuando Lucy empiece a poner en marcha sus planes de boda te aseguro que no querrás ni acercarte.

Gabriel tomó su raqueta y golpeó la bola con todas sus fuerzas. Pensar en Lucy casándose con Ed empezaba a ponerlo enfermo.

–Lucy, cariño, estás más guapa que nunca.

Lucy devolvió el abrazo a Elizabeth Blake, la madre de Gabriel.

–Muchas gracias, te digo lo mismo. Esto es para ti –Lucy le entregó una caja blanca.

Elizabeth levantó la tapa y lanzó una exclamación al ver la selección de pasteles en el interior.

–Ah, qué maravilla. Aunque uno solo contiene más calorías de las que puedo tomar en toda una semana. Muchas gracias, de verdad. Gabriel me ha contado lo bien que te va y no sabes cuánto me alegro.

Lucy la siguió hasta la cocina, al fondo de la mansión. Siempre había querido a Elizabeth porque debía ser maravilloso tener una madre a la que poder contarle todo. Su propia madre había sido una mujer eternamente preocupada por sí misma y sus problemas a quien Lucy jamás había podido confiarle sus cosas.

La cocina era acogedora y cálida, con una enorme mesa de madera frente a la que había una mujer preparando el almuerzo.

–Esta es Angela –la presentó Elizabeth. La mujer,

que estaba cortando verduras, se volvió para saludarla–. Angela es un tesoro. Mantiene la casa en orden y cocina para nosotros cuando hace falta, como hoy. Yo soy capaz de hacer unos huevos revueltos para Gordon y para mí, pero es un placer que otra persona haga el resto de las comidas.

El almuerzo fue delicioso y Lucy se dio cuenta de que estaba pasándolo bien. En realidad, sentía como si hubiera vuelto a casa. Seguramente Gabriel sentía lo mismo cada vez que volvía allí, qué afortunado.

–¿Cómo están tus padres, cariño? ¿Los ves a menudo? –le preguntó Elizabeth.

Lucy tragó saliva.

–No mucho. Nos enviamos tarjetas de felicitación en cumpleaños y Navidad, pero nada más. Bueno, alguna llamada de teléfono de vez en cuando.

Y eso era lo que ella quería. Tenía control total sobre su vida, al contrario que durante su horrible infancia.

–Mi madre vive ahora en Las Vegas con su marido… el tercero. Y mi padre vive en Birmingham, donde un amigo suyo le ofreció trabajo.

Elizabeth asintió con la cabeza.

–Ah, muy bien.

–La verdad es que yo prefiero que se hayan mudado porque ahora tengo mi propia vida, como a mí me gusta. Pero volver aquí es estupendo, me recuerda lo bien que lo pasábamos Gabriel y yo de niños –dijo Lucy, cambiando de tema. Tenía práctica más que suficiente evitando las peleas de sus padres.

Después de comer, Gabriel y su padre fueron a

tomar café en el salón y Elizabeth le pidió que la acompañase a dar un paseo por el jardín.

–Está precioso –dijo Lucy, admirando las flores y la hierba recién cortada.

Casi podía ver a Gabriel dándole patadas a un balón cuando eran pequeños. Y había tantos árboles a los que subirse... ella se había subido a muchos de pequeña.

–Ya no lo cuido yo personalmente, me agota. Gordon ha contratado un jardinero que viene varias veces por semana.

Pasearon en silencio durante un rato. Elizabeth parecía tensa y Lucy no podía dejar de preguntarse si habría sugerido que diesen un paseo para contarle algo, pero no sabía qué podría ser.

–¿Ocurre algo?

La mujer sonrió.

–No, no, solo me preguntaba cómo está Gabriel. A nosotros siempre nos dice que está bien, pero no puedo sacarle más información y esperaba que tú me contases algo. ¿Crees que es feliz? Lo vemos tan poco.

Lucy la miró, sorprendida. Siempre había pensado que Gabriel tenía una relación muy estrecha con sus padres.

–Le va muy bien en el trabajo. Es muy conocido en los círculos legales y tiene una vida social estupenda. Yo creo que todo le va estupendamente.

Elizabeth suspiró.

–Pero sigue sin haber nadie especial en su vida y eso me preocupa. Cuando perdió a Alison era tan joven. Ella era una chica estupenda y sabía que Gabriel tardaría algún tiempo en recuperarse del golpe, pero nunca ha vuelto a traer una novia a casa.

Alison. El primer amor de Gabriel, su novia de la universidad, había muerto en un accidente un año después de terminar la carrera. Ella sabía cuánto había sufrido, pero incluso después de tantos años nunca le había contado nada, ni siquiera a ella, que era su mejor amiga.

Gabriel se portaba como si Alison no hubiera existido nunca y Lucy evitaba el tema por miedo a disgustarlo. Pero desde entonces había evitado cualquier relación seria.

Elizabeth tenía razón: después de diez años, Gabriel no había rehecho su vida.

–Algún día encontrará a su alma gemela, ya lo verás. Además, él parece feliz con su vida.

–Gordon y yo siempre habíamos esperado que Gabriel y tú… en fin, ya me entiendes.

Lucy sintió que enrojecía de la cabeza a los pies. La idea de mantener una relación con Gabriel debería ser cómica. Estaba segura de que Gabriel se reiría ante la mera sugerencia, pero su corazón se había acelerado y se sentía avergonzada.

Por suerte, Elizabeth no parecía darse cuenta.

La verdad era que tiempo atrás, mucho tiempo atrás, sus sentimientos por Gabriel habían sido algo más que una amistad. Solo estaba en su cabeza, claro, nunca en la de Gabe.

Pero la verdad era que uno nunca valoraba algo querido hasta que lo perdía. Ella misma lo había descubierto cuando Gabriel se marchó a la universidad.

Hasta entonces había sido solo suyo, un chico años mayor que ella, protector, casi un hermano.

Su educación había sido muy diferente, como lo habían sido sus casas, sus padres, su pasado, pero nada de eso importaba. Gabriel y ella habían seguido siendo amigos a pesar de las diferencias porque cada uno era lo que el otro necesitaba.

Ella había sido el antídoto contra el serio ambiente del colegio privado en el que estudiaba, una diversión y un respiro de los estudios. Gabriel había sido el puerto en medio de la tormenta para ella. Las broncas en casa empeoraban con el paso del tiempo y Lucy se había encontrado apoyándose en Gabe cada día más. Estar con él lo hacía pensar que su vida no siempre sería así, en un pueblo en medio de ninguna parte, con unos padres terribles y sin forma de escapar. Soñaba que un día tendría su propia vida, que sería libre.

Nunca se había separado de Gabriel hasta que se marchó a estudiar Derecho a Oxford y su alegría inicial había dado paso a una profunda tristeza. No se había dado cuenta de cuánto dependía de él. Estaba acostumbrada a hablar con Gabe todos los días…

Lo echaba de menos y pensaba que él debía estar sintiendo lo mismo. En su ausencia, Gabriel había empezado a convertirse en algo más que un amigo. Sin saber por qué, Lucy había empezado a fantasear con ellos como una pareja de enamorados.

En sus breves visitas de fin de semana, su corazón se volvía loco cuando lo veía y el simple roce de su mano la ponía nerviosa.

–Lo siento, cariño –la voz de Elizabeth la devolvió al presente–. No tiene nada que ver con vosotros. Es que recuerdo la primera vez que te vi, cuando tenías seis años, llamando a la puerta porque habías perdido un gatito. Gabriel debía tener unos nueve entonces, fue ese verano en el que hizo tanto calor.

El cambio de tema fue un alivio para Lucy porque sí podía lidiar con esa parte de los recuerdos.

–Sí, es verdad. Acabábamos de llegar y mi madre había dejado salir a Sooty antes de que se acostumbrase a la nueva casa...

–Gabriel y tú pasasteis toda la tarde buscándolo hasta que por fin lo encontrasteis, ¿recuerdas?

–Sí, claro que me acuerdo.

–A partir de entonces, Gabriel y tú erais inseparables. Siempre os habéis llevado tan bien que yo esperaba que algún día lo vuestro fuera algo más que una amistad.

Lucy tuvo que apartar la mirada.

–Somos más hermanos que otra cosa –dijo por fin–. Yo sentía celos de él cuando era pequeña porque también quería ser parte de la familia. Me sentía tan feliz en la casa grande... y Gabe siempre estaba a mi lado. Nunca me ha defraudado en todos estos años.

Elizabeth esbozó una sonrisa.

–¿Qué tal con tu novio?

Lucy intentó sonreír. No había pensado en Ed en todo el día, pero eso no significaba que estuviera traicionándolo, ¿no? Estar en aquel sitio le llevaba muchos recuerdos. Su pasado allí había sido tan turbulento que sería extraño que no provocase alguna emoción.

–Ed está muy bien –de repente, Lucy sintió el deseo de recordarle a la madre de Gabriel, y tal vez también a sí misma, que estaba enamorada de Ed y no de Gabe–. Entre tú y yo, ya esperaba estar casada, pero Ed no parece tener ninguna prisa. Gabriel piensa que es perezoso y que no me cuida demasiado bien, pero ya sabes que es muy protector.

Elizabeth exhaló un suspiro.

–No es fácil hacer que una relación funcione. Uno tiene que esforzarse… bueno, los dos. Si uno de los dos no se esfuerza, no se puede formar un equipo. Gordon y yo hemos tenido nuestros problemas, pero llevamos muchos años casados y al final todo ha ido bien. A veces es un pesado, pero no sabría vivir sin él.

–Sí, claro –asintió Lucy.

–Solo tú puedes decir si Ed merece la pena. Tienes que estar segura de que es el hombre de tu vida, tú no mereces nada menos.

Poco después volvieron a la casa y Lucy se alegró cuando Gabriel y ella se despidieron para volver a Bath.

Pero en el silencio del interior del coche recordó algo… y se puso colorada. Solo había sido un tonto enamoramiento adolescente, nada más. Gabriel había estado a punto de enterarse, pero afortunadamente no fue así.

Durante el segundo año de universidad, sus visitas a la finca empezaron a ser cada vez más espaciadas. Lucy lo llamaba a menudo, pero muchas veces sus compañeros de casa le decían que había salido. Con el beneficio de la edad y la madurez entendía que seguramente estaba harto de ella e intentaba evitarla, pero convencida de que Gabe sentiría lo mismo si pudiese verlo y declararle sus sentimientos, había decidido impulsivamente ir a visitarlo.

Se recordaba a sí misma mirando por la ventanilla del autobús, pensando en lo bonito y vibrante que era Oxford comparado con las casitas de Cotswold a las que ella estaba acostumbrada. Recordaba que sentía mariposas en el estómago mientras el autobús recorría los kilómetros…

Lucy sonrió mientras subía los escalones de la casa, pensando en cuánto se alegraría Gabriel de verla. Llevaba una blusa de color verde mar, que sabía destacaba el verde de sus ojos, y había pasado horas arreglándose el pelo, pero la sonrisa que no había podido borrar de sus labios desapareció cuando se abrió la puerta. Porque no era Gabriel quien estaba al otro lado sino una chica rubia guapísima.

–Hola –dijo la joven.

Lucy intentó mirar por encima de su hombro. Tal vez se había equivocado de casa, pensó. Pero antes de que pudiese decir nada apareció Gabriel y, de repente, su corazón se volvió loco. No se echó en sus brazos como había pensado hacer y no podía apartar los ojos del brazo que le había pasado a la rubia por la cintura.

–¡Lucy! –exclamó él, evidentemente sorprendido.

Pero en lugar de soltar a la rubia, tomó su mano y Lucy se quedó sin habla. Tenía que encontrar alguna explicación, alguna salida…

–¡Sorpresa! –exclamó, sin saber qué decir.

–Es una sorpresa estupenda, ¿pero tu padre sabe que has venido?

Su tono condescendiente hizo que Lucy se pusiera colorada hasta la raíz del pelo. Después de todo, ya tenía dieciséis años, no era una niña pequeña.

–Ah, entonces tú eres Lucy.

–Te he hablado de ella. Es como mi hermana pequeña.

Alison sonrió.

–Me alegro mucho de conocerte, Lucy. Gabriel me ha hablado de ti en más de una ocasión.

«En más de una ocasión», mientras ella no había dejado de pensar en Gabe ni un solo día…

Lucy volvió al presente cuando él tocó su mano.

–Estás muy callada. ¿Ocurre algo?

–No, nada, es que estoy cansada.

El roce de su mano le había provocado un escalofrío. ¿Qué le pasaba?

Lucy sintió que le ardía la cara, como si el viaje a Oxford hubiera sido el día anterior, y se alegró de que él estuviese concentrado en la carretera. Entonces se sentía tan feliz por volver a verlo… pero lo había encontrado enamorado de otra mujer.

Había vuelto a casa llorando a lágrima viva; su único consuelo, que no había hecho el ridículo hablándole de sus sentimientos.

Su «hermana pequeña».

Cuánto le había dolido.

Se había sentido tan humillada que decidió no volver a verlo nunca más. Había dejado de llamarlo por teléfono durante unos días, pero enseguida se dio cuenta de que era una estupidez pensar que podía apartarlo de su vida. Lo necesitaba demasiado.

De modo que cuando llevó a Alison a casa no se alejó de ellos. Le dolía ver lo felices que eran y tener que aceptar que era una relación seria, adulta. Alison era la mujer de su vida y ella nunca podría reemplazarla. No era tan indispensable como había creído y, ante la amenaza de perderlo, tomó una decisión: mejor tenerlo como amigo que perderlo para siempre por una cuestión de orgullo.

Y a partir de entonces fue su mejor amiga hasta que interpretar ese papel se convirtió en una segunda naturaleza para ella. En los años siguientes, se convenció a sí misma de que solo había sido un encandilamiento adolescente provocado por el vacío que había dejado su marcha cuando se fue a la universidad y por su terrible vida familiar.

Desde ese momento, a los dieciséis años, jamás había vuelto a considerar a Gabriel algo más que un amigo, casi un hermano. Pero, aparentemente, Elizabeth no lo veía así.

Gabriel no era capaz de mantener una relación seria con nadie desde que Alison murió. ¿Y si empezaban a salir juntos y la relación no funcionaba? Por primera vez desde los dieciséis años, Lucy imaginó lo que sería su vida sin Gabe…

No, nunca dejaría que eso pasara.

***

El lunes por la noche, el día después de su almuerzo en Gloucestershire, Gabriel llamó al portero automático. Habían quedado para charlar un rato en su apartamento y Lucy pulsó el botón que abría el portal.

–Estoy cuidando de Spiderman y temo que salga corriendo escaleras abajo en busca de sus enemigos –le dijo, abriendo la puerta solo unos centímetros.

Gabriel asomó la cabeza en el apartamento y vio a un niño vestido de Spiderman tras ella.

–Hola, soy Gabe, el amigo de Lucy –se presentó.

El niño no dijo una palabra.

–Steven, te he puesto la película de *Spiderman* –dijo Lucy–. Menos mal que has llegado –añadió, en voz baja–, el pobre no ha dicho una palabra desde que ha llegado.

Cuando Steven se sentó en el sofá, delante del televisor, Gabriel fue con ella a la cocina.

–¿Quién es?

–El hijo de Sophie, mi ayudante.

Gabriel asintió.

–¿Qué hace aquí?

–Esta tarde han llevado a la madre de Sophie al hospital con dolores en el pecho. Creo que tiene un historial de problemas de corazón… así que le he dicho que me quedaría con Steven esta noche.

–¿Dónde está Ed?

Lucy dejó escapar un suspiro de impaciencia.

–Tenía entrenamiento y, francamente, parecía encantado. No creo que entretener a Steven le apeteciese mucho –respondió, pasándose una mano por el pelo–. Da igual lo que le diga, se niega a quitarse el traje de Spiderman. A este paso, dormirá con él puesto.

El niño se levantó la máscara un poquito para tomar un trago de leche.

–Solo tiene cuatro años –dijo Gabriel–. No creo que sea tan difícil entretenerlo.

–Ya, claro.

–Los niños son así, anímate. ¿Recuerdas cuando éramos niños y prácticamente no te quitaste ese tutú blanco en todo el verano?

Lucy asintió con la cabeza.

–Es un poco raro no verle la cara y el pobre no deja de preguntar por su abuela. No sé qué decirle.

–No te preocupes, entre los dos podremos distraerlo hasta la hora de irse a la cama.

Lucy sonrió, aliviada, y Gabriel se dio cuenta de lo feliz que lo hacía ayudarla. Siempre había sido así, a cualquier edad. Se sentía protector con ella como no se había sentido nunca con nadie.

Una hora después, Lucy miraba, totalmente absorta, a Gabriel jugando con Steven. No podía dejar de comparar su actitud con la de Ed, que prácticamente había salido corriendo en cuanto vio al niño.

Gabriel era hijo único, como ella, de modo que no tenía sobrinos y sus amigos eran como él: solteros y sin ganas de compromiso. Pero verlo con Steven... era como si llevase toda su vida rodeado de niños.

–No soy solo amigo de Lucy –estaba diciendo en ese momento–. En realidad, le hago creer que soy su amigo, pero soy el hombre Supersónico. Yo puedo oír cosas que ocurren a kilómetros de distancia, es mi súper poder, como tú puedes escalar muros y crear telarañas de la nada.

Steve esbozó una sonrisa, pero luego se puso muy serio.

–Mi abuela está en el hospital. Se la llevaron en una ambulancia.

–Lo sé, me lo ha contado Lucy –asintió Gabriel–. Tu abuela está enferma, pero en el hospital van a cuidar bien de ella. Allí hay muchos médicos y seguro que tu mamá llamará pronto para decir que está bien –añadió, con una sonrisa–. ¿Quieres que le pidamos una galleta a Lucy antes de irte a la cama?

Ella dio un paso atrás cuando los dos se levantaron del sofá. Gabe había hecho más progresos con el niño en dos horas que ella en toda la tarde, de modo que dejó que lo llevase a la cama y le ofreció una taza de café cuando salió de la habitación.

–Toma, creo que te lo has ganado.

Gabriel sonrió, ligeramente avergonzado.

–Estabas escuchando.

–Sí, claro. Ahora está un poco más tranquilo y me alegro –Lucy tomó un sorbo de café–. No sabía que se te dieran tan bien los niños.

–¿Crees que se me dan bien? La verdad es que no sé nada de niños.

No la miraba a los ojos mientras hablaba, pero Lucy estaba decidida a seguir con el tema. Nunca hablaban en serio de su vida; solo bromeaban sobre sus conquistas. Se preguntaba por qué había pensado alguna vez que Gabriel y ella podrían ser una pareja. Especialmente cuando ella ya tenía la relación de su vida.

Tal vez debería animarlo a buscar algo permanente. Siendo su mejor amiga, sería lo normal.

–Creo que serías un padre estupendo. ¿Nunca has pensado en ello?

–¿A qué te refieres?

–A sentar la cabeza y formar una familia –Lucy lo observaba atentamente para ver cuál era su reacción, pero Gabriel se levantó y empezó a moverse por la cocina.

–¿Tienes galletas o algo? Estoy muerto de hambre.

–En el armario, detrás de la puerta –respondió ella.

Gabriel tomó una caja de galletas y volvió a sentarse, pasándose una mano distraídamente por el pelo.

–¿Has pensado cómo vas a proponerle a Ed matrimonio?

–No cambies de tema.

–No estoy cambiando de tema. ¿No es esa la razón por la que he venido?

–Sí, pero ya que te gusta tanto desmenuzar mi vida y ponerla bajo el microscopio, creo que merezco hacerte un par de preguntas, para variar. Y quiero respuestas. ¿Cómo ves tu futuro? ¿Quieres formar una familia algún día o piensas seguir solo para siempre?

Gabriel soltó una risita.

–No quiero hablar de eso, Lucy. Sigamos con lo que me ha traído hasta aquí –sus ojos grises, normalmente tan cálidos, tenían un brillo muy serio.

Ella fingió no darse cuenta, pero su reticencia casi la hizo insistir. Sabía por qué el tema lo ponía nervioso, por supuesto. No quería hablar de Alison. Pero después de hablar con su madre, no podía dejar de pensar que sería bueno para Gabriel hablar de ella y de sus sentimientos. Nunca había sentido celos de Alison porque no se lo había permitido a sí misma. Además, era una persona encantadora que le caía muy bien.

–¿No crees que es hora de olvidarte de ella, Gabe? –le preguntó.

–No sé de qué estás hablando.

Cuando Lucy intentó tocar su mano, él la apartó.

–Sí lo sabes.

Gabriel seguía sin mirarla.

–Olvidas que yo conocí a Alison –siguió Lucy–. Era una chica encantadora y nunca jamás me trató mal, ¿te acuerdas? Tus otras novias no soportaban a tu amiga, pero Alison me veía como alguien con quien ir de compras o quejarse sobre tu obsesión por el rugby. Entiendo que te sintieras desolado cuando murió, ¿pero de verdad crees que ella querría esto?

–¿A qué te refieres?

–Tú, el eterno solterón. La Alison que yo conocí hubiese querido algo más para ti.

Lucy hizo una pausa, preguntándose si habría ido demasiado lejos.

No le había preguntado nunca y, de repente, lo ponía en un brete.

«Tendrás suerte si no se enfada. ¿Es eso lo que quieres?».

Los dos se quedaron en silencio durante lo que le pareció una eternidad. Él seguía mirando el suelo, pero entonces, mientras se preguntaba si debería dejar el tema, Gabriel levantó la cabeza.

–A veces hablábamos de tener hijos –dijo en voz baja, casi como si estuviera hablando solo–. Alison decía que quería tener seis. Su tribu, lo llamaba. A mí me parecía bien… siempre había querido una familia grande.

–No lo sabía –murmuró Lucy, maravillándose de no saber algo tan importante sobre Gabe. Y peor, que nunca le hubiese preguntado–. No me lo habías dicho.

–Sí, bueno… no quiero nada de eso sin ella, así que no tenía mucho sentido contarlo, ¿no?

En su voz no había ninguna emoción. Vacío, sonaba vacío.

Gabriel se quedó en silencio y Lucy hizo un esfuerzo por permanecer callada, esperando que siguiera.

–No quería nada de eso sin Alison –dijo Gabriel por fin–. Ni siquiera quería pensar en tener una familia o ser el marido de alguien porque eso es algo de lo que hablaba con ella y solo con ella.

–¿Y sigues pensando lo mismo? –le preguntó Lucy, mordiéndose lo labios.

Por alguna razón, esa pregunta le parecía muy

importante. Porque le preocupaba Gabe, claro. No por ella. No tenía ningún impacto en su vida. Ella era amiga de Gabriel, nada más.

–No quiero pensar en ello, de modo que no lo sé –fue la respuesta de Gabriel.

Pobre. Tan fuerte y tan lleno de vida, pero incapaz de enfrentarse con sus sentimientos, pensó Lucy. Había guardado su dolor en una caja durante diez años y había tirado la llave. Qué tragedia que después de tanto tiempo no hubiese cambiado nada.

Lucy decidió que lo mejor sería dejar el tema. Aunque era nuevo y sorprendente que hablase de ello, decidió encontrar la manera de ayudarlo a superar el pasado. Eso era lo que debería hacer como amiga que era. Ese era su papel en la vida de Gabriel.

–Mira, voy a hacer más café y luego te contaré las últimas noticias del planeta Ed. ¿Sabes que ha comprado una colección de películas de Elvis Presley? Como si bombardearme con su música no fuera suficiente, ahora ha decidido que vamos a tener una maratón de películas de Elvis.

Lucy sintió que la tensión en el ambiente se disipaba un poco cuando Gabriel sonrió. Resultaba evidente que era un alivio para él cambiar de tema, pero pensaba volver a sacarlo y pronto. Que enterrase sus emociones no era bueno para él.

Gabriel entró en su casa tres horas después. Le daba vueltas la cabeza. Era la primera vez que hablaba de Alison en los últimos ocho años…

Durante ese tiempo, se había acostumbrado a cambiar de tema si alguien hablaba de Alison e incluso evitaba pensar en ella.

Esa tarde, todo había cambiado y se sentía… no sabía encontrar la palabra. Expuesto tal vez. Como desnudo. Y la persona que había hecho que se sintiera así era la persona por la que estaba desconcertado últimamente.

Después de encender las luces entró en el salón y se dirigió al escritorio, en una esquina. Allí, abrió un cajón del que sacó un álbum con las tapas de color burdeos.

Sin pararse a pensar un segundo, se dejó caer sobre una silla y pasó los dedos por la tapa. Habían pasado seis años desde la última vez que abrió ese álbum. Conocía muy bien su contenido, pero había querido borrar deliberadamente las imágenes de su cerebro. Fue entonces cuando lo escondió en el cajón. No quería recordatorios tangibles del pasado.

Respirando profundamente, se obligó a sí mismo a reconocer que esconder esos recordatorios no era una manera sana de vivir.

Por fin, abrió el álbum y, al ver la primera fotografía, tuvo que tragar saliva. Alison, con su precioso pelo rubio, le sonreía desde la foto. Pero sus ojos no se llenaron de lágrimas. Había llorado todo lo que podía llorar durante el primer año, después del accidente. Noche tras noche, cuando hasta el sueño se negaba a darle un respiro y estaba totalmente inmerso en su pena…

En aquel momento, mirando la fotografía, se dio

cuenta de que en cierto modo sí había cambiado. Sí había rehecho su vida, aunque Lucy no estaría de acuerdo.

Ella parecía creer que salir con muchas mujeres era sintomático de un dolor interminable, pero se equivocaba. Había decidido no mantener ninguna relación seria porque no quería arriesgarse a soportar un dolor así nunca más.

Pero el roce de su mano esa noche, la emoción que había sentido cuando le dio un beso en la mejilla, hizo que empezase a preguntarse por primera vez en mucho tiempo si negándose eso a sí mismo solo estaba viviendo a medias.

Durante los últimos diez años, su único pensamiento cuando conocía a una mujer atractiva era cuántas veces podría salir con ella antes de llevarla a su cama. Pero tal vez había llegado el momento de pensar que podría haber algo más. El único problema era que esa inclinación parecía ser solo hacia una mujer en particular.

Gabriel cerró el álbum de fotos. ¿Sería posible que hubiera sentido algo por Lucy antes de su reciente charla sobre sus planes de matrimonio? Tal vez nunca había querido pensarlo. ¿Para qué cuando tenía su amistad sin arriesgarse a nada más? ¿Por qué intentar arreglar algo que no estaba roto?

Y, sin embargo, ya no estaba seguro de que su amistad fuera suficiente. Y tal vez esa era una indicación de que estaba dispuesto a dar un paso adelante, de que había dejado atrás el pasado.

Suspirando, Gabriel miró el álbum y decidió no

guardarlo en el cajón. En lugar de eso, lo dejó sobre el escritorio, donde podría verlo todos los días.

Estuvo despierto durante varias horas, pensando que Lucy era de otro hombre. Pensando en todas las cosas que le había dicho sobre seguir adelante, rehacer su vida, formar la familia que había decidido no formar nunca tras la muerte de Alison.

Lucy se refería a encontrar todo eso con otra mujer, no con ella. ¿Sería capaz de mantener una relación después de tanto tiempo?

No sabía qué pensar y no iba a poner en peligro su amistad con Lucy diciéndole lo que sentía cuando ni él mismo estaba seguro.

No, lo mejor sería guardarse sus sentimientos para sí mismo. Tal vez si lo hacía y se alejaba un poco de Lucy, esos nuevos sentimientos por ella pasarían. Si podía mantener las distancias hasta que se casara con Ed no comprometería su futuro y tal vez entonces él podría seguir adelante con su vida.

CAPÍTULO 5

GABRIEL logró evitar a Lucy durante los dos días siguientes. Y no fue fácil porque Ed parecía estar prestándole más atención y, contenta porque el plan parecía estar funcionando, Lucy quería hablar con él sobre la noche de la proposición y lo bombardeaba con llamadas de teléfono.

Pero cada momento que pasaba lejos de ella lo convencía de que estaba haciendo lo correcto. Incluso había empezado a convencerse a sí mismo de que esa nueva atracción por Lucy no era más que el resultado de un mal día.

El maldito día de compras, pensaba. Ese día había tenido que mirarla de verdad, como se miraba a una mujer, cuando nunca había tenido razones para hacerlo. De niño la había visto comiendo barro, despeinada… como adulta, mientras vivía con él, la había visto en sus peores momentos. Como esa vez que se emborrachó y pasó la noche en el suelo del baño, vomitando. A la mañana siguiente parecía una muerta viviente.

No, se dijo a sí mismo. Seguía siendo la misma Lucy de siempre, la que lo llamaba a todas horas del día.

Respondió al teléfono una mañana a las ocho, creyendo que Lucy estaría demasiado ocupada en la pastelería, pero su corazón dio un vuelco al escuchar su voz.

–Gabe, cualquiera diría que estás intentando evitarme… o eso o deberías despedir a tu secretaria. Te he dejado media docena de mensajes.

Gabriel tuvo que tapar el auricular con la mano para respirar profundamente.

–Ya, bueno… –empezó a decir, intentado que su voz sonase normal–. Lo siento, estoy muy liado con un caso complicado y tengo muchas reuniones. Quería llamarte, pero no he tenido tiempo.

Mentiras plausibles, exactamente lo que la pedía la situación. Y pareció funcionar porque Lucy siguió hablando sin ponerlo en duda:

–Bueno, da igual. Por fin te he encontrado.

–¿Qué ocurre?

–Es Ed.

–¿Qué pasa con Ed?

¿Se había ido? ¿La había dejado? ¿Había decidido hacerse monje?

–¡La ropa está funcionando! –exclamó Lucy–. Se fijó en mis tacones de inmediato.

–Ya te lo dije.

–Y no deja de mirarme cuando cree que no me doy cuenta. Eres un genio.

Gabriel sintió una punzada de dolor en el estómago y tuvo que reconocer que eran celos. Y no era una emoción a la que estuviese acostumbrado. Las mujeres con las que salía nunca evocaban tanto interés en él como para ponerlo celoso si aparecía otro hombre. Pero Lucy no era solo un interés pasajero, alguien de quien pudiera olvidarse. Se estaba produciendo un cambio en sus sentimientos por ella…

El problema era cómo volver a la situación anterior. Porque era evidente que Lucy no sentía lo mismo. ¿Y por qué iba a hacerlo? Él solo era su amigo, una figura fraterna, alguien que estaba ayudándola a conseguir que se casara con su novio.

–Lucy, tengo que irme. ¿Podemos hablar más tarde?

–Lo siento, siempre se me olvida que estás muy ocupado. Te veo como una propiedad personal.

Gabriel sintió una oleada de felicidad al escuchar eso, seguida de una punzada de desesperación. ¿Qué iba a hacer?

–Solo quería que quedásemos un día para hablar de la petición porque tengo muchas ideas. Pero tiene que ser a la hora del almuerzo porque Ed insiste en cenar fuera.

¿Todas las noches? Gabriel sacudió la cabeza.

–¿Seguro que me necesitas, Lucy? Puede que ya no te hagan falta mis consejos.

–Pues claro que te necesito –respondió ella–. Necesito tu opinión. Sé que no siempre he sido positiva, pero ya sabes que soy así. ¿O es que estás demasiado ocupado para los amigos? ¿Es eso?

Gabriel se aclaró la garganta. Estaba acostumbrado a controlar sus emociones, no a pasar de los celos al disgusto o la tristeza. Si el amor producía tanto dolor, estaba más que justificado que siguiera solo.

–No seas boba. Ya sabes que he estado muy ocupado últimamente –respondió. Estaba evitándola y su única esperanza era que todo volviese a la normalidad lo antes posible. Tal vez estaba inventando lo que sentía, tal vez no era real–. ¿Qué tal mañana? –sugirió.

–Muy bien.

–Nos veremos en Smith's para tomar un bocadillo.

–Genial. ¿A las tres?

Gabriel apretó los dientes.

–¿No podemos comer a una hora más normal?

–Ya sabes que no cierro la pastelería. Si quedamos a las tres, puedo dejar a Sophie allí y no tener que volver corriendo porque es la hora a la que va menos gente.

–Muy bien, de acuerdo, a las tres entonces.

No tenía sentido discutir con ella y lo sabía.

Lucy cortó la comunicación, sintiéndose un poco mejor. Sus sentimientos no estaban claros del todo, pero iba a hacer lo que debía hacer. Había dejado claro lo bien que iba todo con Ed, mejor que nunca.

Después de todo, razonó, si se concentraba en Ed no habría tiempo para sentir nada más por nadie, especialmente por Gabriel, ya que una relación con él no llegaría a ningún sitio.

Su relación con Ed parecía ir mejor que nunca. Era cierto que la miraba más que antes y esa era una buena señal. Incluso podía ver sus irracionales sentimientos por Gabriel como una prueba de amor por Ed.

Lucy ignoró la vocecita interior que le decía que tenía miedo. Era comprensible después de una infancia como la suya. Temía perder a Ed y la vida segura que tenía con él para adentrarse en algo desconocido y que podría no llegar a ningún sitio. No estaba locamente enamorada de él, pero lo quería mucho y deseaba esa seguridad en la vida. Su madre había querido a su padre con pasión y habían terminado fatal. No, estaba segura: quería casarse con Ed y necesitaba a Gabriel como amigo para apoyarse en él y pedirle consejo cuando tenía problemas.

«Si estropeas eso, acabarás cayendo al vacío».

«Sigue con esos locos pensamientos y perderás a Ed y luego, después de unas semanas o un mes si tienes suerte, Gabe te dejará y lo perderás para siempre».

Porque nunca volvería a ser lo mismo entre ellos, eso estaba claro.

Además, Gabe no había demostrado que sintiera nada por ella más allá de amistad, de modo que podría hacer el ridículo. Ni siquiera la había llamado en toda la semana y ella había tenido que perseguirlo con mensajes. Lo mejor para terminar con aquello era dirigir toda su energía hacia Ed, que la quería y estaba mostrando entusiasmo por su relación por primera vez en varios meses. Debería alegrarse por ello.

Una vez que dijera que sí al compromiso, todo iría bien, estaba segura.

Hacía un perfecto día de invierno mientras paseaba por las calles de Bath para encontrarse con Gabriel en Smith's, un café en el centro de la ciudad.

Gabriel y ella se veían allí a menudo porque estaba entre el bufete y la pastelería. Además, tenían una repostería muy buena y le gustaba comparar los pasteles y bollos con los que hacía ella. Un cruasán seco conseguía ponerla de buen humor, por ejemplo.

El sol brillaba y el aire era fresco y limpio. Le recordaba el último día que comió en casa de los padres de Gabriel, a los que recordaba siempre con cariño. Siempre que pensaba en su infancia, pensaba en ellos.

A veces se preguntaba dónde habría llegado en la vida si hubiera tenido una familia como esa, una que no la hubiera exigido ser una adulta antes de tiempo. Aunque, por otro lado, se sentía orgullosa de lo que había conseguido. Que lo hubiera hecho a pesar de sus padres hacía que fuese doblemente satisfactorio.

Sus padres nunca se habían casado, pero cuando se llevaban bien hablaban de ello. Lucy incluso recordaba a su madre hablando de organizar una ceremonia sencilla una vez y eso la alegró mucho.

Pero al final no llegó a nada. Después de una de sus peleas, nunca volvieron a mencionarlo.

Los padres de sus compañeros de colegio estaban casados y ella quería ser como todos los demás. En su mente infantil, pensaba que esa era la solución a todos los problemas. Por supuesto, siendo adulta sabía que eso no hubiera cambiado nada, que el matrimonio no era una varita mágica que lo solucionaba todo. Y, sin embargo, siempre había sabido que quería casarse y formar una familia algún día.

Miró el reloj y sonrió para sí misma. Tarde de

nuevo. Afortunadamente, conocía tan bien a Gabriel como para saber que siempre llegaba unos minutos tarde. Aquel día, veinte minutos. Tenía aspecto cansado y el traje azul hacía que sus ojos pareciesen más intensos que nunca.

–¿Quieres comer algo? –le preguntó, ofreciéndole el menú.

Él negó con la cabeza.

–Ya he comido, como el resto de los seres humanos. La hora de comer fue hace una hora o más.

Lucy, que no estaba acostumbrada a que fuese antipático con ella, lo miró, sorprendida. ¿Había hecho algo que lo enfadase?

–¿Tienes prisa? –le preguntó al ver que miraba el reloj.

–No. ¿Por qué?

–Por nada –respondió ella–. Pero llegas tarde, no piensas comer nada y no dejas de mirar el reloj. ¿Qué te pasa?

–Lo siento, es que está siendo una semana endemoniada en el bufete.

Lucy asintió con la cabeza. Sus conversaciones con Gabriel nunca eran tensas, su afecto en bromas, fueron interrumpidos por la camarera, que tomó nota pero Gabriel solo pidió un café y ella un sándwich y una ensalada. Pero cuando los dejó solos, volvieron a quedar en silencio.

–Bueno, deja que te cuente mis planes para proponer matrimonio a Ed. Y quiero que seas totalmente sincero.

–¿Seguro?

–Claro.

–Bueno, cuéntame.

Estaba portándose de una manera extraña, pensó Lucy. Se preguntó entonces si debía olvidar la conversación y pedir que le contase qué le pasaba. Después de su charla sobre Alison la otra noche sentía la tentación de hacerlo, pero estaba segura de que Gabriel no querría hablar de eso en un sitio público.

–Bueno, vamos a ver. He pensado reservar mesa en nuestro restaurante favorito… ya sabes, el italiano de la plaza.

Gabriel hizo una mueca, pero no dijo nada.

–Pienso invitar a todos nuestros amigos y espero que tú llegues antes que nadie. Te necesito allí para darme apoyo moral –Lucy le dio un golpecito en el brazo con el bolígrafo–. Luego llegaremos nosotros. Por supuesto, Ed se dará cuenta de que todos sus amigos están allí y se preguntará qué pasa… y entonces yo clavaré una rodilla en el suelo y le pediré que se case conmigo. ¡Y luego comeremos juntos celebrando nuestra próxima boda y lo pasaremos de maravilla! ¿Qué te parece? ¿Funciona desde un punto de vista masculino? Pensé que incluir a nuestros amigos sería buena idea.

Mientras hablaba, Gabriel había ido poniéndose serio, pero se negaba a dejar que ese silencio la acobardase. Aunque debía admitir que había esperado un poco más de entusiasmo.

–Muy bien, has dicho que querías que fuera sincero y voy a decirte lo que pienso sobre todo lo que podría ir mal.

Ella lo miró, sin poder disimular su irritación.

–¿Qué podría ir mal?

–Primero: invitar a los amigos no es buena idea porque básicamente lo que vas a hacer es avergonzarlo. Ningún hombre quiere que lo pongan en un brete. Tienes que darte cuenta de que vas a hacer su papel, o al menos el papel destinado a los hombres en general. Sus amigos le tomarán el pelo y dirán que lo tienes controlado. En serio, aunque la novia les domine, los hombres quieren que todo el mundo piense que es al revés.

–Bueno muy bien, ¿entonces qué hago? –le preguntó Lucy después de pensarlo un momento–. ¿Qué quiere un hombre normal?

–Quiere sentir que él lleva el mando, que decide cuándo pedirle a una mujer que se case con él –Gabriel se echó hacia atrás en la silla–. Estás cambiando el orden natural de las cosas y debes tener cuidado.

Lucy se mordió la lengua cuando apareció la camarera con el pedido, pero en cuanto se quedaron solos se inclinó hacia delante con cara de pocos amigos.

–¿El orden natural de las cosas? Voy a pedirle a mi novio que se case conmigo, no que mire el mapa mientras yo conduzco, que es algo que los hombres no soportan.

–Solo digo que debes hacerlo de tal forma que Ed sienta que él lleva el control.

–Quieres decir hacer que parezca que todo ha sido idea suya.

–Algo así.

–¿Cómo es posible si las palabras «quieres casarte conmigo» salen de mis labios?

–Debes hacerlo como si estuvieras pidiéndole un favor.

–¿Qué?

–Bueno, no quería decir eso exactamente. Podrías incluir algo como «sería un honor si quisieras ser mi marido» o «siento que mi vida no tiene sentido sin ti».

Lucy se metió dos dedos en la boca como si fuera a vomitar y Gabriel levantó una ceja, mirándola como si fuera una niña malcriada.

–Sugiero que no hagas eso delante de él o te dirá que no.

Lucy suspiró.

–Me parece una tontería. Yo no soy el felpudo de nadie ni voy a humillarme para que se case conmigo. Pensé que Ed estaría encantado de que se lo pidiera. Que lo vería como un cumplido, no como un reto a su masculinidad.

–Porque eres una mujer y tienes un punto de vista femenino. Los hombres piensan de otra manera. ¿Cuántas veces tengo que decírtelo?

Ella decidió cambiar de tema.

–Bueno, ya elegiremos las palabras adecuadas. ¿Pero dónde debo hacerlo? ¿Estás diciendo que puedo invitar a los amigos mientras me ponga en plan sumiso o debo pedírselo cuando estemos solos?

–No me gustaría verte haciendo el papel de mujer sumisa, pero tendrás más éxito si lo haces cuando estéis a solas. Si invitas a los compañeros de fútbol a los que conocí en el bar, te estarás pegando un tiro en un pie. Solo conseguirás que se sienta acorralado. No podrá decir que no porque a) no puede mostrarse cruel en público y b) no querrá estropear la fiesta.

Lucy sacudió la cabeza.

–Pero eso es bueno, ¿no? Se verá obligado a decir que sí.

–Pero por razones equivocadas. Si lo acorralas, podría echarse atrás en cuanto acabase la fiesta. Pensará que lo has puesto en un brete.

Lucy suspiró.

–Supongo que tienes razón –murmuró, tomando un sorbo de café–. Bueno, Einstein, dime cuál es el escenario perfecto e intentaré arreglarlo.

Gabriel frunció el ceño.

–Si le pides a un hombre normal que se case contigo tienes que estar guapísima y elegir un sitio tranquilo, sin amigos ni familiares presentes. Y también tienes que hacerlo antes de acostarte con él, no después.

Lucy estuvo a punto de atragantarse con el café. Nerviosa, dio un mordisco al sándwich para ganar tiempo y encontrar su voz.

–¿Por qué no después? –le preguntó–. Yo diría que es el momento más adecuado, ¿no?

Gabriel apretó su mano como si fuera una niña y ella sintió un escalofrío. Pensó entonces que no recordaba la última vez que había sentido un escalofrío cuando Ed la tocó. Si era sincera consigo misma, ni siquiera cuando acababan de conocerse. Nerviosa, tuvo que hacer un esfuerzo para concentrarse en la conversación.

–Como he dicho, tienes que empezar a pensar como un hombre. Antes de acostarte con él, tú tienes todas las cartas en la mano. Ed estará pendiente de cada una de tus palabras. Después, si consigues que permanezca despierto, cualquier cosa que digas le parecerá menos importante que echar una cabezadita. Es biología básica.

Lucy hizo una mueca.

–Vais un poquito retrasados biológicamente.

–Sí, seguramente –asintió él, riendo–. Si los hombres pensaran como las mujeres, Ed te habría pedido hace tiempo que te casaras con él. ¿No crees que eso sería muy aburrido?

–No, creo que sería lo más lógico.

Gabriel miró su reloj de nuevo, haciendo un gesto de impaciencia.

–Tengo un poco de prisa.

–¿Qué te pasa? Pareces desesperado por evitarme. ¿Es tanto pedir que me dediques unos minutos de tu tiempo?

Él apartó la mirada.

–Es que estoy muy ocupado, ya te lo he dicho –parecía incómodo y Lucy estaba a punto de preguntarle qué le pasaba cuando se inclinó hacia delante y puso una mano sobre la suya, haciendo que su pulso se acelerase–. Lucy, de verdad creo que deberías pensarlo bien.

–¿Qué quieres decir?

–Que soy tu amigo y, por eso, debo ser totalmente sincero. Sé que no te gustará, pero es mi obligación.

Lucy lo miró a los ojos, sorprendida.

–¿A qué te refieres?

–Creo que quieres casarte y formar una familia porque no tuviste una infancia normal. Quieres el típico final feliz y que estés siempre rodeada por los amigos de Ed, todos a punto de casarse, hace que lo desees aún más. Y lo entiendo, pero creo que debes estar completamente segura de que eso es lo que quieres.

Ella lo miró, perpleja.

–¿Qué estás sugiriendo?

Gabriel respiró profundamente.

–Creo que deberías hablar con tus padres antes de nada.

Esas palabras fueron una sorpresa total para Lucy, que se levantó, sin saber qué estaba haciendo para volver a sentarse después. ¿Cómo podía...? Había sido tan difícil rehacer su vida y él lo sabía.

La había apoyado tantas veces, le había dado fuerzas, la había animado a seguir adelante.

–No puedo creer que estés sugiriendo que les hable de esto. Mi madre se ha casado tres veces y es la mujer más egoísta y más irresponsable que conozco. Mi padre es un borracho. ¿Por qué demonios crees que uno de ellos está capacitado para darme consejos?

–No estoy diciendo que sea así, solo que estás tan enganchada a ese sueño tuyo de formar una familia que crees que eso va a hacerte feliz automáticamente. Y es por tus padres. Yo, que soy un psicólogo aficionado, lo sé muy bien.

–Aunque así fuera, ¿que hay de malo en ello? Con una infancia como la mía, sé muy bien lo que no quiero. Y lo que no quiero es la relación que tuvieron mis padres.

–Lucy, no tuviste seguridad de niña, lo sé tan bien como tú. Y eso es lo que buscas.

–¿Y qué si fuera así? Te pedí ayuda, pero solo quería que me dieras consejos sobre cómo hacer que Ed se fijase más en mí o cómo pedirle en matrimonio de una manera divertida. No te he pedido que critiques mi vida y desde luego no esperaba que sugirieses que he hecho las cosas mal.

–Yo no he dicho eso…

–Se supone que eres mi amigo, mi mejor amigo.

–Lucy…

–No quiero seguir hablando –Lucy se levantó de la silla y tomó su bolso.

–Espera un momento.

Ella le dio la espalda, sin percatarse de que todos los clientes del café estaba mirándolos.

–¡Déjame en paz!

La puerta del café se cerró tras ella.

CAPÍTULO 6

EL TELÉFONO estaba sonando, pero Lucy decidió sacar otra bandeja de magdalenas del horno. La cocina de su apartamento olía a vainilla y a azúcar quemada y había utensilios y bandejas sobre todas las superficies.

Llevaba el pelo sujeto en un moño y la pechera de su camisa estaba manchada de harina porque no se había molestado en ponerse un delantal.

Un par de horas después desde su discusión con Gabriel y, por fin, había logrado calmarse. Trabajar la relajaba. Si alguna vez necesitaba pensar, se metía en la cocina porque el enfado aumentaba su creatividad. Algunos de sus mejores pasteles habían sido el resultado de los momentos más estresantes de su vida.

El móvil emitió un pitido entonces y, al ver que era un mensaje de texto, se inclinó para apagarlo con un dedo manchado de mermelada.

Ni siquiera tenía que mirar para saber que era de Gabriel. Cuando discutían, Gabe siempre se ponía en contacto con ella de alguna forma. Ella, por otro lado, prefería mantener las distancias durante un tiempo, hasta que se hubiera calmado, y dependiendo del tema de la discusión podía ser de unas horas a unos días.

Lo que había dicho sobre sus padres le había dolido en el alma. Ellos no tenían nada que ver con su deseo de casarse y formar una familia. Después de todo, llevaba años sin tener contacto personal con ninguno de los dos y le dolía que precisamente Gabriel, con quien siempre había contado y quien mejor la conocía, pudiera decir eso.

Lucy echó gelatina de fresa en un cuenco y empezó a removerla con un cucharón de madera. Siempre había querido formar una familia, desde que era niña. Su infancia había sido tan difícil que sería un milagro que no fuese la persona que era en aquel momento.

Pero no era eso lo que la molestaba sino que hubiese dado a entender que su infancia era la única razón para tomar esa decisión. Que casarse con Ed era un error, pero ella era incapaz de verlo.

¿Por qué había dicho eso? ¿Por qué estaba siendo tan mal amigo?

Su infancia afectaba a sus decisiones porque había contribuido a convertirla en la persona que era, pero las razones por las que quería casarse tenían que ver con el presente, no con el pasado. Su edad, por ejemplo. Quería tener hijos y le faltaba poco para cumplir los treinta años. Su trabajo y la seguridad económica que eso representaba… todo iba bien, mejor de lo que hubiera esperado.

Y, por supuesto, su relación con Ed. Era feliz con él y conocía sus malas costumbres, sus defectos. No era perfecto, pero sí una buena persona y, además, la apoyaba en su ambición profesional, de modo que estaba lista para dar el siguiente paso, así de sencillo.

¿Pero estaba enamorada de él? ¿Enamorada de verdad?

Sí, se dijo a sí misma. Sobre eso no tenía dudas.

Tuvo que aplastar la vocecita que le recordaba que no sentía la misma pasión por Ed que había sentido una vez por Gabriel. Entonces solo era una cría. Además, había muchas clases de amor y el que ella necesitaba era el amor sólido, constante, ¿no? Se negaba a explorar otras alternativas.

Sin embargo, por mucho que lo intentase, el rostro de Gabriel seguía apareciendo en su cabeza. Ella quería pensar que controlaba su vida, que iba en el asiento del conductor.

Si eso era cierto, ¿por qué no hablar con sus padres?

Pensar eso hizo que su corazón se acelerase hasta que, por fin, tomó la decisión que había estado dando vueltas en su cabeza durante horas.

La única manera de demostrarse a sí misma que de verdad era su propia persona y demostrar que Gabriel estaba equivocado era hablar con su padre o su madre. Tendría que ser él, ya que su madre vivía en Las Vegas.

Tenía la dirección de su padre en Birmingham guardada en alguna parte y solo estaba a unas horas de allí. Eso era lo que tenía que hacer para olvidar las dudas que Gabriel había puesto en su cabeza.

***

Gabriel colgó el teléfono, suspirando. Le había dejado tres mensajes de voz y enviado varios de texto, pero Lucy no quería hablar con él. Siempre pasaba eso cuando se enfadaban por alguna tontería, pero tenía la horrible impresión de que en esta ocasión había ido demasiado lejos.

Había querido ser su amigo, como siempre, sin traicionar sus verdaderos sentimientos por ella. Pero oírla hablar de cómo convencer a otro hombre para que fuera su marido se había vuelto insoportable. Ed no la merecía. Si fuera así, se habría casado con Lucy mucho tiempo atrás.

Suspiró entonces, entristecido. Había perdido el control, no había otra forma de describir lo que estaba pasando. Había querido cuestionar su amor por Ed e intentar convencerla de que estaba cometiendo un error, pero no se había atrevido.

Tenía miedo de que fuese algo que ella no quería escuchar, de modo que, en lugar de eso, le había dado un golpe bajo. Mencionar a sus padres era un golpe bajo.

Había querido apagar su entusiasmo por la proposición y al hacer eso no había considerado ni por un segundo lo que sentiría Lucy.

Podría darse de tortas. Había estado a su lado durante su infancia, había secado sus lágrimas cuando iba corriendo a casa para escapar de las broncas de sus padres. Incluso había curado las heridas que se hizo en la mano una vez, cuando se cortó recogiendo una botella rota después de una de ellas.

Entonces era una niña. ¿Por qué demonios había tenido que recordar eso sabiendo cuánto le dolía?

Tenía que pedirle disculpas, arreglarlo de algún modo. Pero, conociéndola, sabía que no tenía sentido forzarla a hablar con él hasta que estuviera dispuesta a hacerlo.

Tenía una reunión importante con un cliente, pero le resultó imposible concentrarse de lleno en la conversación, sus pensamientos consumidos por Lucy.

–¿Le importa esperar aquí un momento? –Lucy se inclinó hacia delante para preguntar al taxista antes de bajar del coche.

Miró la casa al otro lado de la calle; una casa pequeña en un callejón. Luego miró el papel que llevaba en la mano. Sí, aquel era el sitio, la casa en la que vivía su padre.

Le sudaban las manos y tuvo que pasarlas por los vaqueros un par de veces mientras se dirigía a la puerta. Antes de que pudiese dar marcha atrás, levantó la mano y llamó con los nudillos varias veces, pero no obtuvo respuesta.

«No está en casa. Será mejor volver a Bath, ha sido una tontería venir».

Llamó por última vez y gritó:

–¡Papá!

Por fin, escuchó ruido de pasos y vio una sombra frente al cristal emplomado de la puerta. Contuvo el aliento mientras se abría… y, de repente, allí estaba: viejo, con el pelo gris, barba de varios días y la ropa arrugada.

Su padre.

No estaba preparada para verlo así. En su mente, lo había convertido en una especie de monstruo, pero aquella era la realidad: un hombre mayor, penoso. La casa olía a moho, a polvo.

–Lucinda –dijo él, sorprendido–. Vaya, vaya, vaya, ¿Qué haces tú por aquí?

Nada de palabras cariñosas, nada de «encantado de verte, hija», solo un tono indiferente. ¿Había esperado otro recibimiento?

–Estaba por aquí –respondió Lucy–. El trabajo, ya sabes.

–Ah, claro.

–Estaba a punto de volver a la estación, pero había pensado pasar un momento a saludarte.

Su padre la miró con ojos fríos.

–Diez años y en todo ese tiempo nada más que una tarjeta de felicitación en Navidad.

Lucy apartó la mirada, avergonzada de repente. Pero, de inmediato, se puso furiosa consigo misma. ¿Qué esperaba después de cómo la había tratado?

Cuando por fin se marchó de casa, su padre se emborrachaba cada noche. Apenas hablaba con ella más que para insultarla y, además, tenía que cocinar, limpiar, hacer la compra, ir al colegio... todo eso intentando que la casa no se les cayese encima. Había intentando ayudarlo con su problema de alcoholismo, pero su padre había decidido ahogarse en autocompasión desde que su madre se marchó de casa y no parecía tener inclinación alguna a resolver ningún problema.

Luego, por fin, consiguió una plaza en una escuela de cocina y esa fue su manera de escapar. Y una vez que se marchó, sencillamente siguió huyendo. En lugar de volver a casa cuando terminó el curso, alquiló un estudio diminuto en Swindon porque era barato. Trabajando por poco dinero en un restaurante local había adquirido experiencia haciendo pasteles... incluso logró hacerse con un grupo de clientes particulares.

Después de Swindon, se había alojado con Gabriel en Bath, antes de alquilar un apartamento y abrir su negocio allí. No había sido una decisión difícil no volver a Gloucestershire.

Al contrario, alejarse de allí había sido la mejor decisión. No había vuelto a mantener contacto con sus padres, pero el sentimiento de culpa desapareció al recordar que su padre no había hecho nunca la menor intención de visitarla y se limitaba a informarle por correo sobre sus cambios de dirección. A veces se había preguntado si lo hacía por si las autoridades tenían que ponerse en contacto con ella para informarle de que lo habían encontrado muerto.

La distancia entre ellos había ido creciendo con los años hasta aquel momento, en el que eran prácticamente dos extraños.

–Debe haber alguna razón para tu visita después de tanto tiempo, ¿no?

–Estoy pensando en casarme –respondió Lucy. Fue lo primero que se le ocurrió.

Su padre asintió con la cabeza, clavando en ella sus ojos, verdes como los suyos.

–¿Y quieres mi bendición? –le preguntó, con una sonrisa irónica.

Lucy dio un paso atrás.

–No, no es eso. Solo… –la sonrisa había desaparecido del rostro arrugado y viejo, con diminutos capilares rotos por culpa de la bebida. Era la cáscara del hombre que había sido una vez y se dio cuenta de que sentía pena por él. Su padre ya no podía hacerle daño. Ni asustarla siquiera–. Solo he venido a decírtelo.

–Me alegra saberlo –murmuró él, buscando un paquete de cigarrillos en el bolsillo de la camisa. Después de encender uno, se apoyó en el quicio de la puerta–. ¿Cómo es, Lucinda? ¿Es un buen hombre?

Lucy tragó saliva. A pesar de todo lo que había ocurrido entre su padre y ella, a pesar de los años que hubieran pasado, le importaba lo suficiente como para preguntar.

–Sí, papá, es un buen hombre. Me hace feliz.

–Pues entonces, cásate con él. Y dile que cuide bien de ti o tendrá que vérselas conmigo.

Lucy sonrió y su padre también esbozó una sonrisa. Se alegraba de haber ido después de todo. Por primera vez, sentía que controlaba una conversación con él. ¿Que podía él decir o hacer ya para perjudicarla? Era una adulta, no una niña asustada. Tenía su propia vida, no lo necesitaba para nada.

–¿Cómo estás, papá? ¿Qué tal el trabajo?

–Me va bien –respondió él, después de aclararse la garganta–. Te invitaría a entrar, pero solo tengo alquilada una habitación. No es fácil encontrar trabajo con esta crisis…

A Lucy no le importaba. Unos minutos de charla era más suficiente después de tanto tiempo. Además, tenía muchas cosas que pensar. Para ella había sido un paso enorme ir allí y hablar con él.

–Quizá la próxima vez. De todas formas tengo que irme –Lucy señaló el taxi con la mano–. Solo era una visita relámpago.

Él suspiró, asintiendo con la cabeza.

–Me alegro de haberte visto, Lucinda –le dijo, sus ojos verdes serios. Parecía más débil, más pequeño incluso. La aterradora presencia que ella recordaba tan vivamente de su infancia había dejado de existir.

–Yo también me alegro, papá. Te llamaré –Lucy sonrió de nuevo antes de dirigirse al taxi.

Pero cuando estaba llegando, él la llamó.

–¿Podrías dejarme algo de dinero, cariño?

Exasperada, Lucy buscó en su bolso. Y fue entonces cuando se dio cuenta de que su padre no había cambiado en absoluto. Ella, sin embargo, ya no era la misma persona.

Gabriel aparcó el Aston Martin en la plaza, frente a la pastelería de Lucy. Empezaba a anochecer y las farolas ya estaban encendidas.

Vacilando cuando salió del coche, se preguntó qué estaba haciendo allí.

La conocía tan bien. Casi tan bien como para leer sus pensamientos. Tal vez seguía enfadada con él y por eso no le había llamado… o tal vez había ido a ver a su padre.

Gabriel caminó con paso decidido por la plaza. La pastelería, con su cartel estilo retro en color rosa chicle sobre un fondo pistacho, estaba cerrada, como era de esperar a esa hora, pero él sabía que estaría allí.

Un par de transeúntes miraron con curiosidad al hombre alto que apoyaba las manos en el escaparate, pero él no se dio cuenta. Haciendo pantalla con las manos solo pudo ver las estanterías y el mostrador, pero cuando sus ojos se acostumbraron a la oscuridad vio luz bajo la puerta que llevaba al obrador.

Tenía razón, allí estaba.

Sonriendo al pensar en lo bien que la conocía, se metió en el callejón que daba a la entrada trasera, tocando la pared de ladrillos en la oscuridad. Y allí estaba aparcado el Mini

Empujó la puerta y se sorprendió al ver que estaba abierta. ¿Cómo podía dejar la puerta abierta? ¿Cuántas veces le había dicho que debía tener cuidado?

–¡Lucy! –gritó, para no alarmarla.

No hubo respuesta, de modo que dio la vuelta a la esquina y contuvo el aliento al verla.

Con los rizos apartados de la cara sujetos por un lápiz y una mancha de harina en la mejilla, Lucy estaba trabajando sin descanso. Su rostro más pálido que nunca, tenía ojeras y los labios apretados en un gesto de determinación.

–Lucy –volvió a llamarla.

Había bandejas y utensilios de repostería por todas partes. A saber cuánto tiempo llevaba allí.

–Estoy ocupada –dijo ella, sin molestarse en levantar la mirada mientras echaba un líquido verde sobre una especie de espuma de color blanco.

–¿Qué es eso?

–Un merengue –respondió ella–. Estoy experimentando.

–Parece como si hubieras licuado una rana.

Lucy lo miró entonces, con un esbozo de sonrisa en los labios, y a Gabriel se le encogió el corazón al ver su aspecto cansado. Le gustaría abrazarla y tuvo que apretar los puños para no hacerlo. Tenía que hablar con ella, pedirle perdón y arreglarlo todo.

–Lucy, lo siento.

Cuando ella apartó la mirada, Gabriel le quitó la espátula de la mano y la dejó sobre la encimera. Ella no dijo nada, pero tampoco intentó apartarse mientras la empujaba hacia una silla.

–No tenía derecho a decir lo que dije sobre tus padres. Sé lo que te hicieron pasar… no sé cómo se me ocurrió decir eso. Lo siento mucho.

–¿Cómo sabías que estaría aquí? –le preguntó ella.

–Porque te conozco casi tan bien como me conozco a mí mismo. ¿Recuerdas cuando tuviste un accidente con el coche? Entonces hiciste comida para toda Inglaterra. Cuando la gente normal necesita tiempo para pensar, conduce o sale a dar un paseo. Tú cocinas, así que tenías que estar aquí. Bueno, también fui a tu apartamento, pero como no estabas allí no había otra opción…

Lucy sonrió.

–Ya veo.

–¿Entonces estoy perdonado?

Ella sonrió de nuevo.

–Sí, estás perdonado, pero con la condición de que dejes de meterte en mi vida.

–Pero si siempre me he metido en tu vida…

–Te pedí consejo para proponer matrimonio a Ed y no esperaba que intentases aconsejarme sobre mi pasado como si fueras un psicólogo de pacotilla. ¿De acuerdo?

Notaba el cansancio en su voz, pero parecía totalmente resuelta. Y él estaba dispuesto a aceptar cualquier cosa para arreglarlo.

–De acuerdo –asintió, tomando otra silla para sentarse a su lado.

Ella soltó sus rizos y volvió a recogerlos con el lápiz.

–Bueno, las cosas no han ido tan mal de todas formas. Seguí tu consejo y fui a hablar con mi padre.

–¿Ah, sí? ¿Y qué pasó?

–Nada, pero estoy orgullosa de mí misma de todas formas. Estaba furiosa contigo por hacer esa sugerencia, pero el problema era que no podía dejar de pensar en ello. Me volvía loca, así que tuve que ir a verlo para descubrir qué sentía al verlo.

–¿Y qué sentiste?

Gabriel no estaba seguro de querer saber la respuesta a esa pregunta.

–La verdad es que mi padre ya no me da miedo –respondió Lucy–. Deberías verlo, Gabe. Solo es un viejo solitario. Creo que sigue bebiendo y tiene un trabajo con el que apenas puede pagar una habitación. Es terrible.

–Lo entiendo –murmuró él.

–Ahora yo tengo mi propia vida y puedo elegir qué papel quiero que él haga en ella –Lucy sonrió–. Y eso está bien. Tal vez lo haya alejado de mi vida demasiado, incluso de mis pensamientos, y está bien no tener que hacerlo.

–¿Y cómo están las cosas con Ed? –le preguntó Gabriel. No quería, pero debía hacerlo.

La alarma del horno sonó en ese momento y los dos dieron un respingo. Y cuando Lucy le dio la espaldas, Gabriel tuvo que tragar saliva.

–Bien, gracias. Ahora estoy más segura que nunca –Lucy se volvió hacia él, quitándose los guantes.

–¿En serio? ¿Vas a seguir adelante con la proposición de matrimonio?

Sentía como si hubiera pisoteado su corazón.

–Sí –respondió ella–. Me has hecho un gran favor, Gabe. Si no estaba segura del todo, ahora lo estoy. No puedo cambiar el pasado, pero sí puedo decidir cuál va a ser mi futuro. Lo que tengo con Ed es lo más importante para mí, todo lo que me perdí por culpa de mis padres. Ed y yo no nos parecemos nada a ellos. Sé que podemos formar una familia y que todo saldrá bien.

Gabriel se obligó a sí mismo a sonreír.

–Genial. Seguro que todo saldrá bien.

Lucy parecía feliz. Cansada, pero decidida. Y había sufrido tanto.

Gabriel clavó las uñas en las palmas de sus manos con tal fuerza que dejó marcas.

«Por tu egoísmo de guardártela para ti solo la has hecho sufrir».

Se odiaba a sí mismo por ello. Debería cuidar de Lucy y no pensar en sus propios sentimientos.

Pero debía reconocer de una vez por todas que la amaba, que la había amado desde siempre. Era absurdo negarlo, aunque ya era demasiado tarde para decírselo.

¿Cómo iba a poner su vida patas arriba otra vez?

En ese momento, tomó una decisión: se apartaría de ella y sin mostrarse petulante como había hecho en Smith's. Sin decirle lo que era mejor para ella.

Lucy se casaría con Ed, tendrían hijos y vivirían felices para siempre. Y él seguiría en el papel de su mejor amigo y lo agradecería, además. Aunque aquella semana había demostrado que apenas servía para eso.

–Tengo que irme, Lucy. Veo que estás muy ocupada –murmuró, acercándose para darle un beso en la mejilla.

Al hacerlo, respiró su aroma a vainilla, a ella misma, y sintió que su cuerpo respondía involuntariamente. Tuvo que apretar los puños para controlarse, pero afortunadamente ella estaba tan concentrada en lo que hacía que no se dio cuenta.

–Muy bien, nos vemos mañana. ¿A qué hora irás a buscarme?

¿De qué estaba hablando? Ah, la cena del bufete. Gabriel había olvidado la cena. Sería una tortura, pero tal vez podría aprovechar la oportunidad para poner nuevos límites que pudiesen ayudarlo a agarrarse a la imagen de amigo y solo amigo.

–Iré a buscarte a las siete –respondió, mientras se dirigía a la puerta sin esperar respuesta.

CAPÍTULO 7

LUCY se miró al espejo, contenta con su aspecto. No recordaba la última vez que se había puesto un vestido de cóctel, tal vez en el baile de graduación de la universidad. Pero ni siquiera entonces se había puesto nada tan bonito como aquello.

Era una simple túnica negra cortada al bies que se pegaba a su cuerpo, dando la impresión de curvas donde no las había. Sujeta con dos tirantes, dejaba al descubierto los hombros y tenía también un buen escote en la espalda… que ella pensaba ocultar con un chal a juego porque no estaba acostumbrada a mostrar tanto.

Se había gastado más dinero que nunca en un vestido y para ello había tenido que olvidarse de su innata prudencia con los gastos. Gabriel estaría orgulloso de sus progresos, pensó.

Con mucho trabajo y litros de gel para el cabello, había sujetado sus rizos con dos prendedores sobre la cabeza, dejándolos caer luego en cascada por la espalda.

Una noche normal para ella consistía en cenar algo en el pub con Ed, para lo que siempre iba en vaqueros y con el pelo sujeto con una cinta, pero esa noche estaba envuelta en una nube de perfume y debía admitir que le gustaba. Era estupendo ir arreglada para variar.

Pero no quería pensar en Gabriel más que como un amigo y la discusión sobre sus padres se lo ponía más fácil. Se negaba a pensar en cómo se había acelerado su corazón la noche anterior, cuando apareció en la pastelería para pedirle perdón. Se negaba a recordar cómo la había mirado a los ojos.

El enfado había pasado por completo y su corazón se había vuelto loco.

Dos extremos.

¿Ed la hacía sentir algo así?, le preguntó una vocecita.

Pero Lucy sacudió la cabeza. Esa noche sería una buena oportunidad para retomar su amistad con Gabriel después de la discusión. Y luego, al día siguiente, tomaría las riendas de su vida y le propondría matrimonio a Ed. Todo iba a salir perfectamente.

Lucy cerró los ojos un momento. ¿Por qué se sentía más emocionada y llena de vida pensando en la cena con Gabriel que en el momento en el que uniría su vida a la del hombre con el que llevaba dos años saliendo?

Suspirando, se puso los zapatos de tacón y, de inmediato, el vestido le quedaba como si se lo hubieran hecho a medida.

Parecía una princesa y no la huerfanita que había sido siempre. Después de una última mirada al espejo, se puso un poco de brillo en los labios y decidió que estaba lista.

Eran casi las siete, pero sabía que Gabriel llegaría tarde y decidió esperarlo viendo la televisión para controlar los nervios.

Cinco minutos más tarde sonó el timbre y, después de pulsar el botón que abría el portal, volvió al salón para buscar su bolso.

–Por una vez llegas a tu hora, menos mal –bromeó al escuchar pasos en la entrada.

Pero cuando se dio la vuelta comprobó que no era Gabriel sino Ed, en vaqueros y camiseta.

Ed, que lanzó un silbido al verla.

–Vaya.

Lucy sonrió, sorprendida.

–No te esperaba.

–Lo sé, he pasado por aquí de camino al pub –Ed la miraba como si no la hubiera visto nunca.

–¿Estoy bien? –Lucy dio una vueltecita. Se sentía un poco tímida, tal vez porque nunca se había vestido así para él. Con los zapatos de tacón casi era de su misma estatura. Gabriel era mucho más alto, pero estaba acostumbrada a tener que levantar la cabeza para mirarlo.

–Estás guapísima. Una pena que vayas a salir con Gabriel –Ed la miró de arriba abajo mientras deslizaba un dedo por su espalda–. De todas formas… podrías compensarme un poquito.

Lucy se apartó.

–No, ahora no. He tardado un siglo en arreglarme el pelo y lo último que necesito es un revolcón en el sofá.

Ed la miró, dolido, y ella se sintió culpable.

–Lo siento, es que estoy un poco nerviosa –se disculpó.

–¿Por qué? –le preguntó Ed, con el ceño fruncido.

–No estoy acostumbrada a las fiestas elegantes y no conoceré a nadie aparte de Gabriel –respondió Lucy. Pero cuando intentó abrazarlo, fue Ed quien se apartó.

–Si no supiera que os conocéis desde siempre, pensaría que hay algo entre vosotros.

–¿Qué?

–Primero empiezas a vestir de manera diferente y a pasar más tiempo con él que conmigo, luego te arreglas tanto para ir a una fiesta… ¿cuándo te has vestido así para mí? Eso es lo que me gustaría saber.

Nerviosa, Lucy tuvo que respirar profundamente para calmarse.

–No estás siendo justo –protestó–. Llevo ropa diferente, pero solo porque empezaba a estar aburrida de llevar siempre lo mismo. Y qué cara criticarme por salir con Gabriel cuando tú has salido cuatro veces con tus amigos esta semana –Lucy se dio la vuelta, airada.

Odiaba las discusiones porque la llevaban de vuelta a su infancia, cuando eran una constante entre sus padres y ella se sentaba en la escalera y escuchaba las voces en el piso de abajo. Por eso intentaba resolver sus problemas con calma, aunque debía admitir que a veces no era fácil porque tenía mucho carácter y no siempre se comportaba como le gustaría.

–Hay una distinción importante, Lucy –replicó Ed–: mis amigos son hombres –añadió, tomándola del brazo–. ¿Qué te parecería si yo fuese a una fiesta con una mujer? Creo que estoy siendo muy comprensivo. De hecho, creo que soy un santo. Y ya está bien. No vas a salir con Gabriel esta noche, te lo prohíbo, así que puedes quitarte el vestido y ponerte unos vaqueros.

Ella lo miró, perpleja.

–No te atrevas a decirme lo que tengo que hacer. Esto no tiene nada que ver con Gabriel. Estoy haciéndole un favor a un amigo, nada más. El problema es el modo en el que tú ves nuestra relación. Dices que nunca me visto así para ti… ¿cuándo salimos a algún sitio para el que tenga que vestirme así? –Lucy abrió su bolso para buscar las llaves, dispuesta a esperar a Gabriel en la calle porque no quería que los viera discutiendo.

–Si no trabajases tantas horas podríamos salir más, pero siempre estás en la pastelería.

–¡Es mi negocio!

–Pero cuando te pido que muestres un poco de interés en mi negocio, cuando te pido que inviertas algo de dinero… pones cero interés.

Entonces oyeron un claxon. No podía haber llegado en mejor momento, pensó. Tal vez Gabriel y ella tenían algún tipo de conexión mental.

–No puedo seguir discutiendo ahora, tengo que irme –Lucy se dirigió a la puerta, sus tacones repiqueteando sobre el suelo de madera.

–Vuelve aquí. No vas a ir a ningún sitio.

Lucy no le hizo caso, pero mientras cerraba la puerta no pudo evitar que sus ojos se llenasen de lágrimas.

El cielo estaba cubierto de nubes y amenazaba tormenta, que era exactamente como ella se sentía. Corrió hacia el Aston Martin aparcado frente a la casa y solo miró atrás cuando estaba ya en el interior. Entonces se dio cuenta de que había esperado que Ed la siguiera, pero el portal seguía cerrado. No se había molestado siquiera.

Se preguntó por un momento qué sentía y lo que eso decía de los sentimientos de Ed. No le gustaba pensar que estaban alejándose en ese momento...

–¿Estás bien? –le preguntó Gabriel, que con el esmoquin parecía James Bond. Sus ojos parecían más claros en contraste con la chaqueta negra y el pelo oscuro.

–Arranca –dijo ella, sacando un pañuelo del bolso para secarse los ojos. Había tardado media hora en maquillarse y no iba a estropearlo.

Gabriel arrancó en silencio y, durante unos minutos, el único sonido en el interior del coche era la música del equipo.

Le maravillaba que Gabe siempre pareciese saber lo que necesitaba. Nada de interrogatorios sobre qué había pasado, nada de insistencias. Permanecía en silencio y eso la ayudaba a ordenar sus pensamientos y controlar las lágrimas.

Y, de nuevo, se encontró comparando el comportamiento de Gabe con el de Ed.

En cierto modo, se alegraba de que se mostrase posesivo y que pareciese más pendiente de ella que nunca. Sus celos demostraban que la quería, pensó.

Luego miró a Gabriel, intentando controlar el pesar de no haber podido provocar esos sentimientos en él. Gabe nunca tendría celos de ella porque apenas parecía darse cuenta de que era una mujer.

De inmediato, se sintió avergonzada de tales pensamientos. Ella quería que su relación con Ed funcionase.

¿O no?

–¿Ed sigue vivo?

Lucy sonrió. Cuando eran niños, siempre le tomaba el pelo por su mal carácter, describiéndola como un huracán.

–¿Cómo sabes que nos hemos peleado?

–Bueno, seguramente toda la calle ha oído el portazo. De hecho, me sorprende que el edificio siga en pie. ¿Estás bien? –Gabe apartó una mano del volante para apretar la suya y ese gesto hizo que sus ojos se empañasen de nuevo.

«Cálmate, Lucy».

–Sí, estoy bien.

–¿Quieres hablar de ello?

Ella negó vigorosamente con la cabeza.

–Solo ha sido una pelea tonta.

«¿Por qué salta mi corazón así cuando me toca?». «¿Por qué él y no Ed?».

No quería que fuera así. Su futuro con Ed significaba tanto para ella. Quería sentir esa pasión, no por Gabriel ni por ningún otro hombre. Deseaba reaccionar ante Ed como reaccionaba ante Gabe, temblando por un mero roce, derritiéndose cuando la miraba. Pero parecía imposible conciliar su cerebro con su cuerpo.

Tal vez debería olvidarse de la proposición, pensó entonces. Todo aquello había empezado cuando decidió pedirle que se casara con ella.

Llevaba tanto tiempo deseando formar una familia que se le hacía un nudo en la garganta al pensar que tendría que renunciar a ese sueño, pero no estaba segura de poder conformarse con Ed cuando no inspiraba en ella la pasión que sentía por Gabriel.

–Vamos a olvidarnos de eso y a concentrarnos en esta noche –dijo él entonces–. No es solo una cena de trabajo, es prácticamente un salto en mi carrera.

–¿Ah, sí?

–Si lo hago mal, podría perder la posibilidad de ser accionista del bufete. Es vital hacer bien el papel.

Ella sacudió la cabeza, exasperada.

–¿No crees que te lo tomas demasiado en serio? Tus jefes no tomarían una decisión así basándose en la persona que llevas a la cena.

–Podrían hacerlo –dijo él–. Acostarse con colegas de trabajo no está bien visto en los círculos legales.

–¿Entonces por qué lo haces?

Gabriel se encogió de hombros.

–Nunca ha sido nada serio.

En realidad, era un alivio para ella hablar de Gabe en lugar de pensar en sus propios problemas.

–Ahí te equivocas. Evidentemente, no entiendes a las mujeres –le dijo.

–¿Ah, no? –replicó él, burlón.

–Si una mujer se acuesta con un hombre, pone parte de su corazón. La mayoría de las mujeres empiezan a pensar en ese momento cómo sonaría el apellido de ese hombre para sus hijos... –Lucy sacó el brillo de labios y bajó el visor para mirarse en el espejito–. Y te preguntas por qué se enfadan cuando las dejas después de un mes.

Gabriel soltó una carcajada.

–En realidad, he descubierto que un mes es demasiado tiempo. Es más fácil romper si solo sales con ellas tres semanas como máximo.

–Qué insoportable eres.

–Pero te gusto así. Me odiarías si nunca te hiciese enfadar –Gabriel le hizo un guiño antes de volver a concentrarse en el tráfico.

Lucy tuvo que sonreír. Tenía razón. Sus bromas eran lo que necesitaba para recuperar el buen humor.

Gabriel aparcó el Aston Martin y le abrió la puerta amablemente. Cuando se puso a su lado, subida en los tacones, la diferencia de estatura entre ellos parecía más equilibrada que nunca. Lucy estaba acostumbrada a sentirse pequeña a su lado, pero en aquel momento solo tenía que ponerse de puntillas para darle un beso.

Claro que no lo hizo. Sería absurdo.

Pero el roce de su mano en la espalda mientras la llevaba hacia la entrada del hotel la ponía extrañamente nerviosa.

La cena se celebraba en un exclusivo hotel en el centro de la ciudad y Lucy no pudo disimular su entusiasmo mientras atravesaban las puertas de cristal.

El salón de baile en el que tendría lugar la cena tenía altos techos decorados, como tantos edificios en Bath. Bien iluminado por lámparas de araña, con mesas redondas cubiertas por manteles blancos, con platos de porcelana inglesa, velas y copas de cristal. Al fondo había una pista de baile delante de una tarima en la que tocaba una orquesta de jazz. Lucy no recordaba haber visto un sitio tan bonito.

Gabriel tomó dos copas de champán de una bandeja de plata y le ofreció una.

–Gracias –Lucy tomó un sorbo mientras miraba alrededor.

Los hombres estaban muy atractivos con esmoquin o elegantes trajes de chaqueta, pero eran las mujeres quienes más llamaban la atención. Había vestidos de todos los colores imaginables.

Lucy se miró a sí misma un momento y deseó no haber elegido el color negro. Demasiado previsible. Aunque le gustaba, en aquel momento le parecía un poco aburrido.

Como si hubiera podido leer sus pensamientos, Gabriel se inclinó para decirle al oído:

–Estás preciosa, por cierto. No te lo había dicho antes, en el coche.

Ella apartó la mirada, tímida de repente. ¿Qué pensaría si supiera que estaba aplastando mentalmente el deseo de que la acariciase como un amante?

Gabriel sonreía mientras paseaban por el salón.

–Tengo que presentarte a un par de personas –le dijo, tomándola por la cintura.

Lucy solo podía pensar en esas manos. No podía

concentrarse en nada más, como si todos sus sentidos estuvieran centrados en eso y lo demás fuera irrelevante.

Gabriel se sentía orgulloso de tenerla a su lado. Incluso después de una hora en su compañía, aún no podía creer lo guapa que estaba con aquel vestido. La tela se pegaba a su cuerpo, marcando cada curva…

Agradecía que su discusión con Ed hubiera servido de distracción, aunque no le gustaba verla disgustada. Pero al menos no había notado que su corazón se volvía loco al verla.

Había tenido que hacer un esfuerzo para mantener los ojos en el tráfico durante todo el camino cuando lo único que quería era mirarla.

Solo eran amigos, no dejaba de recordarse a sí mismo. Y tal vez si se lo repetía suficientes veces, el mantra serviría de algo.

Cuando se sentaron a la mesa sus pierna se rozaron y Lucy dio un respingo. Sería una loca si siguiera pensando pedirle a Ed en matrimonio teniendo aquellas dudas, se dijo.

¿Por qué seguir adelante cuando Gabriel la excitaba con un simple roce?

Porque sus sentimientos por Gabriel no eran reales, se dijo. Y nada bueno podía salir de aquello.

Ed, en cambio, era real.

En el coche, Gabe parecía haber leído sus pensamientos, algo que hacía a menudo. La afectaba como nunca lo había hecho su novio, pero su relación con

Ed era demasiado buena como para tirarla por la ventana por algo que nunca podría ser.

Sin embargo, estaba tan desconcertada…

La cena fue deliciosa: una ensalada con láminas de queso y frutas del bosque, seguida de un solomillo estupendamente cocinado con una fabulosa salsa.

Sin embargo, Lucy no tenía mucho apetito y cuando miró el plato de Gabriel vio que él apenas lo había probado.

Cuando los camareros sirvieron el café, la gente empezó a dispersarse por el salón y Lucy empezó a sentir mariposas en el estómago. Todo había sido relativamente fácil durante la cena porque estaban rodeados de gente. Gabriel había estado hablando con todo el mundo y Lucy empezaba a entender por qué tenía tanto éxito.

La pareja que estaba sentada a su lado buscaba representación legal y, al final del segundo plato, Gabe los tenía comiendo en la palma de su mano.

Era impresionante.

Por fin, Gabriel se volvió hacia ella.

–¿Qué tal lo estás pasando?

–Bien, pero no me has preguntado por mi pelea con Ed.

–Lo sé, pero no quería que me mandases a paseo. ¿Sigues pensando seguir adelante con la proposición? –le preguntó él, enarcando una ceja.

–Hemos tenido una discusión, nada importante. Todas las parejas discuten.

Gabriel asintió con la cabeza.

–Es verdad.

–Ed se siente un poco incómodo en este momento. Creo que no sabe bien dónde está y es comprensible, ¿no? De repente empiezo a vestir de manera diferente, salgo más contigo. El pobre cree que hay algo entre tú y yo –dijo Lucy, riendo.

–¿Y por qué te hace tanta gracia? –le preguntó Gabriel, mirándola con intensidad.

–No, bueno… –Lucy no sabía qué decir–. Ed ha sacado una conclusión errónea, nada más. Para él, es la única explicación lógica a ese cambio de comportamiento.

–Ya.

Ella lo miró en silencio durante unos segundos.

–¿Has vuelto a pensar en lo que hablamos?

–¿A qué te refieres?

–A lo de sentar la cabeza. ¿Estás buscando a la mujer de tu vida? No puedes seguir solo para siempre, Gabe. Un día conocerás a la mujer de tu vida, te casarás, tendrás hijos…

La expresión de Gabriel se ensombreció.

–Tal vez ya la haya conocido –dijo por fin, tomándola del brazo–. Venga, no se puede venir a un baile y no bailar.

–Sabes que no sé bailar –protestó ella–. Te voy a dar más de un pisotón.

–Tú sígueme. Nadie se dará cuenta.

Sonriendo, Lucy se dejó llevar. Además, había tomado un par de copas de vino y estaba animada.

–*Moon River* –murmuró Gabriel cuando empezaron a sonar las primeras notas de esa canción.

Lucy contuvo el aliento cuando le pasó un brazo por la cintura.

–Lo que pasó con Alison no puede marcar toda tu vida, Gabe. Yo lo sé mejor que nadie. ¿Quién hubiera imaginado una vida como la mía después de todo lo que vi entre mis padres? Sé que es difícil, pero a veces uno tiene que olvidarse del pasado y seguir adelante. La verdad es que después de hablar con mi padre es como si me hubiera quitado un peso de encima. Me siento más ligera.

Gabriel no dijo nada y Lucy tragó saliva. Podía sentir los duros músculos de sus piernas, formados durante años de rugby, rozando la seda del vestido.

De repente, tiró de ella hacia delante, apretándola más contra él, y Lucy puso una mano sobre su pecho, notando la anchura de sus hombros, la fuerza de sus brazos, su aliento en el pelo mientras hablaba.

–Cuando he dicho que tal vez ya había conocido a la mujer de mi vida no me refería a Alison.

Luego se apartó un poco para mirarla a los ojos.

Sus palabras y cómo las había pronunciado, llenas de significado, hicieron a Lucy tragar saliva. Tuvo que hacer un esfuerzo para disimular su agitación. El roce de sus manos en la espina dorsal, el calor de su aliento, el aroma de su colonia masculina llenaba sus sentidos y sentía que se le doblaban las rodillas.

–Gabe… –empezó a decir.

Él se inclinó hacia delante, su boca tan cerca, sujetándola como si no quisiera soltarla nunca. La orquesta de jazz seguía tocando, pero Lucy no oía nada. No había nada más que el calor del cuerpo de Gabriel, el roce de sus manos. Podría haber un millón de personas en el salón y no se habría dado cuenta porque solo había un hombre para ella, el hombre que se inclinaba para buscar sus labios.

No existía nada más que aquel beso.

Unos segundos después, Gabriel se apartó para mirarla a los ojos, sin soltarla.

Y, de repente, Lucy volvió a la realidad. Recordó dónde estaba, la gente, la música...

¿Qué le estaba pasando? ¿Cómo podía haber dejado que aquello ocurriese? ¿Dónde estaba su resolución?

Lucy sintió una oleada de angustia. Ed había tenido razón al sospechar de su relación con Gabriel. Pobre Ed, ¿como podía haberle hecho aquello?

El hombre del que, supuestamente, estaba enamorada cuando Gabriel solo era su amigo. ¿Estaría ya el daño hecho?

Nerviosa, se apartó de él, pasándose una mano por los labios como si así pudiera borrar el beso.

–Esto no puede ser. Tengo... tengo que irme –dijo por fin, volviéndose antes de darle una oportunidad de decir nada.

Lo que tuviese que decir no le interesaba. El daño a su amistad ya estaba hecho.

¿Cómo podía haber llegado tan lejos?

Tal vez ella había estado enviándole señales sin darse cuenta...

¿Qué esperaría Gabriel, una aventura de tres semanas? Ella no pensaba malgastar una amistad de veintitrés años en una simple aventura.

Había una sola cosa que pudiera hacer para salvar la situación y era poner distancia entre ellos. De inmediato.

De modo que salió del restaurante y se dirigió a la puerta del hotel, dejando a Gabriel solo en medio de la pista.

CAPÍTULO 8

GABRIEL estaba en la puerta del hotel, pasándose una mano por el pelo con gesto exasperado.

¿Dónde había ido Lucy?

Miró a derecha e izquierda, pero la calle estaba solitaria. Debía haber encontrado un taxi, pensó. Estaba empezando a llover, pero no se daba cuenta siquiera.

¿Qué había hecho?

No había sido su intención besarla, pero desde el momento que la vio había tenido que controlar la irresistible atracción que sentía por ella. Y había creído estar haciéndolo bien, pero mientras bailaban… no debería haberle pedido que bailasen, pero no le gustaba nada dónde iba la conversación y lo había hecho para cortar el tema.

Recordaba la suavidad de su piel y el delicioso aroma de su pelo, que lo había hecho perder el control. La delgada tela del vestido marcaba los contornos de su cuerpo…

Le había parecido algo natural, perfecto, un momento de intimidad, pero había cometido un grave error.

Suspirando, se dio la vuelta y entró de nuevo en

el hotel, intentando evitar a una exnovia que se dirigía directamente hacia él porque necesitaba pensar.

Una cosa era segura: no iba a dejarla escapar sin luchar por ella.

Lucy entró en su apartamento y dejó escapar un suspiro al ver que sus rizos mojados empezaban a encresparse con la lluvia.

Por un momento, se preguntó si Ed estaría allí esperándola, pero todo estaba a oscuras.

Y ella tembló al recordar el beso de Gabriel. Nunca había sentido algo así, por eso no había sido capaz de apartarse. Le sorprendía que la sensación hubiera sido tan potente, especialmente cuando su cabeza le decía que era un error.

Después de encender la luz del cuarto de estar, se quitó los zapatos para tumbarse en el sofá. Y fue entonces cuando vio un papel sobre la mesa de café.

Era una nota de Ed que decía: *Lo siento, llámame.*

Sus ojos se llenaron de lágrimas. ¿Qué había hecho?

Gabriel intentó por enésima vez ponerse en contacto con Lucy, pero no contestaba al teléfono y tenía el móvil apagado.

Claro que no sabía por qué había esperado otra cosa. ¿Por qué iba a reaccionar de manera diferente a como reaccionaba ante cualquier otro problema en su vida? La conocía desde que tenía seis años y su norma siempre había sido la misma: alejarse de todo hasta que hubiera decidido qué hacer.

Pero temía que si no hablaba con ella de inmediato no quisiera saber nada de él en absoluto.

Gabriel volvió a llamarla. Tenía que seguir intentándolo.

Lucy estaba bajo la ducha, dejando que el agua cayera sobre su cara, intentando entender lo que ese beso había significado para ella.

«Gabriel siente lo mismo que tú», le decía una vocecita.

Y si fuera cierto, eso lo cambiaría todo. Debería olvidarlo, pensar que había sido un desliz. ¿O no? ¿Gabriel quería algo más que amistad?

Y si así fuera, ¿qué significaba eso para Gabe? ¿Una aventura corta antes de echarse atrás, como siempre? Su amistad podría sobrevivir a un beso, pero nunca podría sobrevivir si había algo más.

Además, tenía que pensar en Ed. Se le encogió el corazón al pensar en el daño que podría hacerle saber lo que había pasado.

Había sido feliz con él durante dos años y tenían planes. ¿Cómo iba a hacerlo entender o a hacer que la perdonase? E incluso si pudiera, ¿qué esperanza de futuro había para ellos?

Aplastar sus sentimientos por Gabriel era una tarea imposible, incluso lo era apartarlo de su mente unos minutos.

El sentimiento de culpa era como una losa. Sentía que estaba traicionando a Ed cada segundo que pensaba en Gabe.

Cuando se metió en la cama era tarde y estaba cansada, pero el sueño tardó en hacer aparición. Por fin, se quedó dormida alrededor de las tres y despertó de nuevo a las seis.

Poniéndose unos viejos vaqueros y una camiseta, fue directamente a la cocina y empezó a colocar azúcar, huevos, harina y cuencos sobre la encimera. Necesitaba pensar.

Gabriel despertó muy temprano en domingo por segunda vez en un mes. Y las dos veces había sido culpa de Lucy.

No podía dejar las cosas como estaban porque el asunto había ido demasiado lejos, de modo que salió de casa y subió al coche. Estuviese preparada o no, tenían que hablar.

Lucy estaba haciendo la mezcla para un pastel sin apenas darse cuenta de lo que hacía. Pero, como siempre, sus manos parecían funcionar por voluntad propia.

El sentimiento de culpa se la comía por dentro. Todo había sido culpa de Gabriel, pensaba. Ella tenía sus sentimientos controlados y él había tenido que estropearlo.

Suspirando, se pasó una mano llena de harina por la cara.

«No te mientas a ti misma».

No iba a ganar culpando a Gabriel de lo que había pasado. La única culpable era ella.

«Podrías haberte apartado».

«Podrías haberte reído del beso, pero en lugar de hacerlo se lo devolviste con toda tu pasión».

Gabriel estaba soltero, pero, supuestamente, ella estaba a punto de casarse.

Lucy intentó ordenar sus pensamientos. Intentó pensar en Ed, sólido, amable, cariñoso, torpe, pero encantador. Ambicioso a su manera. Siempre había sabido dónde estaba con Ed porque era previsible y eso lo hacía seguro. Y para alguien con un pasado como el suyo, eso era un tesoro.

Gabriel, por otro lado, era incurable e innegablemente ambicioso. Había llegado a la cima en los círculos legales de Bath y era socio de uno de los bufetes más importantes de la ciudad cuando aún no había cumplido los treinta y cinco años.

Incluso había rechazado mudarse a Londres porque quería llegar a la cima en un bufete más pequeño donde podría ejercer más influencia.

No se podía contar con él en otros aspectos porque era adverso al compromiso, de modo que solo podía ser su mejor amigo, casi un hermano. Era divertido, inteligente, retador. Nunca sentía que pudiese ganar con él mientras con Ed sabía que iba en el asiento del conductor.

Se preguntaba qué estaría pensando en ese momento, qué esperaría de ella.

Mientras ella se torturaba a sí misma tal vez Gabriel se preguntaba cómo desengañarla sin hacerle daño, cómo decirle que no debía hacerse ilusiones.

El instinto le decía que debía llamarlo para aclarar las cosas, pero el sentimiento de culpa no le dejaba hacerlo. La infidelidad había sido la clave para la infelicidad de sus padres y, a sus ojos, lo que había arruinado la relación.

Le dolía pensar que ella le había hecho lo mismo a su novio. Tuviese los defectos que tuviese, Ed nunca la había engañado con otra mujer.

Ella, que se enorgullecía de controlar su vida y su destino, actuando por impulso de esa manera…

Lucy sacudió la cabeza. Ella no era impulsiva sino racional.

Y sabía una cosa con total certeza: no podía estar cerca de Gabriel mientras intentaba aclarar todo aquello en su cabeza.

No podía dejar de pensar en lo que había pasado y hablar con él sería casi una infidelidad. Por Ed, debía solucionarlo sin hablar con Gabriel.

Tenía varios mensajes en el móvil, como siempre que discutía o tenía un problema con él. Gabe nunca lo dejaba estar.

Lo conocía lo suficiente como para saber que iría a buscarla y eso no podía ser. Tendría que llamarlo para decirle que la dejase pensar durante unos días, pero antes de que pudiese hacerlo, el móvil empezó a sonar.

Cuando miró la pantalla, su pulso se aceleró al ver que era Ed.

Lucy tragó saliva, sintiendo que le ardía la cara,

casi como si Ed la hubiera visto besar a Gabriel, como si supiera que lo había traicionado.

Pero hizo un esfuerzo para calmarse. Solo necesitaba hablar con él y luego podría ordenar sus pensamientos.

–Hola, Ed –contestó, con un tono de voz tal vez demasiado alegre.

–Hola, Lucy –Ed parecía un poco desconcertado–. No sabía si seguías enfadada conmigo. Siento mucho todo lo que dije ayer.

–No pasa nada, en serio, no tiene importancia. Estaba tan preocupada por arreglarme para la cena que no se me ocurrió pensar en cómo te sentirías tú...

–No digas nada más –la interrumpió él–. Estabas guapísima y me puse celoso, eso es lo que pasó. Celoso porque ibas a pasar la noche con Gabriel y no conmigo. No tengo ningún derecho a gritarte así y sé que Gabriel solo es un amigo, de modo que no debería haber dado a entender otra cosa.

Lucy asintió con la cabeza, aunque le ardía la cara. ¿Cómo iba a arreglar aquello?

–¿Qué tal la cena, por cierto? ¿Gabriel ha conseguido lo que quería?

–Fue una cena aburrida con mucha gente obsesionada por temas legales –Lucy intentaba apartar las imágenes de Gabriel de su mente y aquella conversación no la ayudaba nada.

–Vaya, lo siento –dijo Ed–. Bueno, tal vez yo pueda compensarte esta noche. Y así tendré la oportunidad de pedirte perdón.

–Ed, por favor... –los ojos de Lucy se llenaron de

lágrimas. No podía soportar que se disculpase cuando había sido ella quien había traicionado su confianza–. Te he dicho que no tienes que pedirme perdón.

–Insisto en hacerlo.

Ella suspiró, frustrada.

–En serio…

–¿Nos vemos esta noche en el Abbey? Vamos a charlar un rato y a pasarlo bien.

El Abbey era el bar al que solían ir con sus amigos y necesitaban hablar porque tenía que contarle lo que había pasado con Gabriel ya que el beso pesaba en su conciencia como una losa. Podría pasar el resto del día pensando en cómo iba a explicárselo y tal vez estar en terreno neutral la ayudaría.

–Sí, eso estaría bien. ¿Nos vemos allí a las ocho y media? Tengo que llevar un encargo por la zona a esa hora.

–Genial –dijo Ed.

Su tono alegre hizo que se sintiera aún más incómoda. Se odiaba a sí misma por lo que había pasado y no dejaba de darle vueltas…

Después de despedirse de Ed, llamó a Gabriel, pero mientras esperaba la señal de llamada sonó el timbre y descolgó el portero automático con las manos cubiertas de harina.

Era Gabe, no tenía la menor duda.

–¿Sí?

–Soy yo –dijo él simplemente.

No tenía que decir nada más.

–No puedo hablar contigo ahora –respondió Lucy,

su voz cargada de angustia–. Antes tengo que hablar con Ed.

–Solo diez minutos, por favor.

–Necesito que te alejes de mí, en serio.

Gabriel no podía creer lo que estaba oyendo. ¿Hablar con Ed?

Tenía que decirle lo que sentía antes de que el sentimiento de culpa la hiciese cometer un grave error.

–No digas tonterías, no puedes fingir que no ha pasado nada.

–¡No estoy fingiendo! –exclamó Lucy–. Pero hasta que haya visto a Ed y haya hablado con él, verte sería como volver a engañarlo. Y no voy a hacer eso. No voy a empeorar las cosas.

A Gabriel no le gustaba nada dónde iba aquello y, a veces, la única manera de lidiar con su obstinación era insistir.

–Lucy, por favor, necesito hablar contigo. Solo diez minutos, te lo prometo.

–Te he dicho que no. Por favor, Gabe, vete.

–Voy a decirte lo que he venido a decir, aunque sea desde aquí. Puedes escucharme o dejar que se entere toda la calle. Depende de ti.

Lucy lo pensó un momento y, por fin, pulsó el botón que abría el portal.

Luego abrió la puerta del apartamento y volvió a la cocina sin esperarlo. Con el corazón latiendo como loco dentro de su pecho, se concentró en el pastel que estaba haciendo para calmarse.

Unos segundos después oyó que se cerraba la puerta y se volvió cuando Gabriel entró en la cocina.

Por su expresión, era evidente que no había dormido bien y, además, tenía ojeras.

–Llevo seis horas llamándote.

Ella asintió con la cabeza.

–Lo sé. Acabo de encender el móvil y estaba a punto de llamarte yo misma –Lucy tomó un cucharón de madera y empezó a batir para no tener que mirarlo.

Se le encogía el estómago cada vez que miraba esos ojos grises porque su cuerpo sabía perfectamente lo que quería: que Gabe la llevase directamente al dormitorio. Pero tenía que hacer un esfuerzo para controlarse.

Debía tener cuidado. Mucho cuidado. Debía seguir las órdenes de su cerebro, no las de su cuerpo o su corazón.

«No tires por la ventana tu futuro con Ed por algo que duraría cinco minutos».

Pero, de repente, Gabriel estaba a su lado, muy cerca, y se le doblaron las rodillas. Si la besaba no estaba segura de tener presencia de ánimo para detenerlo, pero solo le quitó el cucharón de la mano. Sin saber qué hacer, se apoyó en la encimera, cruzándose de brazos.

–¿Qué quieres?

–Tenemos que hablar.

–Lo sé.

–Siento mucho lo de anoche.

Su corazón latía con fuerza, diciéndole lo profundos que eran sus sentimientos por aquel hombre que la hacía sentir más culpable que nunca.

¿Estaba diciendo que el beso había sido un error? ¿Que lo lamentaba?

De ser así, ¿qué sentiría ella?

Intentando no mostrar sus sentimos, que la harían vulnerable, Lucy eligió una respuesta neutral:

–Yo también.

–No sé si me entiendes. No siento haberte besado, siento no haber sido sincero contigo porque tú mereces algo más.

Ella se pasó una mano por la frente.

–¿Qué quiere decir con eso?

–No quiero que te cases con Ed –respondió Gabriel, mirándola a los ojos–. No sigues pensando hacerlo, ¿verdad?

–Si quieres que sea sincera, no sé qué hacer. Hasta anoche, lo tenía todo tan claro y ahora siento que… no sé dónde estoy. Y es culpa tuya. Nada de esto habría pasado si no me hubieras besado anoche.

Gabriel enarcó una ceja.

–Deja de engañarte a ti misma. Te sientes culpable y lo entiendo. También yo lo siento por Ed, pero eso no cambia nada. Puede que fuera yo quien empezó el beso, pero tú no te apartaste, al contrario.

Lucy sintió que le ardía la cara. Tenía razón. La hacía sentir ligeramente mejor que los dos compartiesen la culpa, pero debía aceptar que era responsable de sus propios actos y no usar a Gabriel. Y la exasperaba saber que la conocía lo suficiente como para leer sus pensamientos.

Gabriel tomó su mano, enredando los dedos con los suyos.

–Ese beso significó para ti tanto como para mí. No lo niegues, Lucy.

Ella cometió el error de mirarlo a los ojos entonces... y sintió que se mareaba. Pero no podía perder el control de nuevo.

Repetir lo de la noche anterior era imposible, no iba a pasar mientras Ed estuviera en su vida. No podía borrar el beso que habían compartido, pero sí podía evitar que aquello siguiera adelante.

Haciendo un esfuerzo, soltó su mano y se apartó.

Tenía que controlarse o todo se hundiría. Se sentía fatal hablando de la posibilidad de estar con él. Le parecía una traición. Pero necesitaba un compromiso por parte de Gabriel si iban a llegar a algún sitio... una certeza de que lo que había pasado entre ellos era diferente a su relación normal. Tenía que saber que la quería de verdad, que no iba a dejarla después de unas semanas.

Y eso tenía que salir de él.

Gabriel era incapaz de tomarse en serio una relación, de dárselo todo a otra persona. Y si ella no era más que otra aventura, tendría que detener aquello cuanto antes, por difícil que fuese.

De modo que se obligó a sí misma a hacer la pregunta que más la asustaba:

–¿Qué quieres de mí, Gabe?

Él se acercó de nuevo para envolver sus manos con las suyas, entrelazando los dedos. El corazón de Lucy latía con tal fuerza que pensó que podría oírlo.

–Te deseo, Lucy. No quiero que le propongas matrimonio a Ed, quiero que lo intentes conmigo –Gabriel sonrió, la sonrisa formando arruguitas alrededor de sus ojos; esa sonrisa torcida que tanto le había gustado siempre.

Pero ella no estaba sonriendo.

–¿Qué quieres decir con «intentarlo contigo»?

–Que seamos una pareja y no solo amigos. Podríamos salir a cenar una noche, los dos solos. Y luego tal vez podríamos tomarnos un par de semanas libres, ir a algún sitio donde haga sol. ¿Qué te parece?

Decepcionante, pensó Lucy. No había cambiado en absoluto. Recordaba esas mismas frases cuando flirteaba con Joanna en el pub. ¿Y por qué pensaba que unas vacaciones en un sitio soleado era la solución a sus problemas? Como si una relación entre ellos no fuese ya suficientemente irreal, sugería un escenario artificial…

Cuando volvieran a casa, la luna de miel habría terminado y su amistad también. Para siempre.

Lo que ella necesitaba escuchar era que estaba dispuesto a comprometerse al cien por cien cada día de sus vidas, pero Gabe no iba a ofrecerle eso, de modo que se apartó para ir al cuarto de estar.

–¿Qué ocurre? ¿Qué he dicho?

Lucy se dejó caer sobre el sofá, con las manos desplomadas sobre el regazo.

–Es más bien lo que no has dicho.

Gabriel frunció el ceño.

–He puesto las cartas sobre la mesa, ¿no? Me he dado cuenta de que lo último que quiero es ayudarte a casarte con otro hombre. He intentado disimular, te lo aseguro, pero anoche no pude más. Y no tiene sentido que siga escondiéndolo. Me he enamorado de ti y quiero estar contigo.

–Gabe, nuestra amistad es lo más importante para mí –dijo ella, mirándolo a los ojos. No estaba acostumbrado a que las mujeres le dijesen que no y seguramente pensaba que ella caería en sus brazos de inmediato–. Tanto que no estoy dispuesta a ponerla en peligro…

–Espera un momento.

Lucy levantó una mano.

–Déjame terminar –le pidió, con voz firme.

Él la miró, impaciente.

–Muy bien, sigue.

–Anoche, cuando me besaste… –Lucy bajó la mirada–. Nadie me había hecho sentir algo así.

Gabriel se puso en cuclillas frente a ella para tomar sus manos.

–Entonces, vamos a intentarlo –le dijo en voz baja, su boca tan cerca que podría besarla en cualquier momento. O llevarla a su dormitorio en ese mismo instante–. ¿Qué podemos perder?

Pero Lucy apartó las manos y se levantó del sofá.

–Todo, Gabe, ese es el problema. No quiero perder tu amistad y si no sale bien, eso es lo que pasará. Tus relaciones duran cinco minutos y cuando terminan no se puede volver atrás. Las cosas nunca serían lo mismo. Lo habríamos perdido todo…

–Pero no tiene por qué ser así.

–Sé que te da miedo que me case con Ed, pero nada cambiará entre tú y yo. Siempre seremos amigos, pase lo que pase.

–Yo quiero que seamos algo más que amigos. He cambiado, Lucy. Y sé que esto podría funcionar.

¿Podía creerlo? Ella lo miró, intentando contener las lágrimas. No quería que la viese llorar.

–Necesito tiempo para pensarlo, Gabe. Me siento fatal por hablar de esto contigo sin haber hablado antes con Ed. No puedo pensar ahora mismo hasta que haya hablado con él.

–¿Por qué?

–Tengo que aclarar las cosas, debes entenderlo. No puedo fingir que anoche no pasó nada. No soy la clase de persona que hace algo así y luego duerme de un tirón. Todo esto es tan repentino… necesito decidir qué voy a hacer.

–Pero no irás a pedirle que se case contigo –insistió Gabriel–. Ya no puedes hacerlo.

–¿Por qué no? ¿Porque tú lo dices?

–Por lo que ha pasado. Tú misma acabas de decir que nunca habías sentido nada igual.

–Tal vez no, pero aunque las cosas con Ed no llegasen a ninguna parte, eso no significa que vaya a tener una relación contigo.

–¿Por qué no?

–Intenta verlo desde mi punto de vista: estás sugiriendo que rompa una relación de dos años por un hombre que solo quiere que vayamos juntos de vacaciones… lo que yo necesito es saber si lo nuestro podría funcionar en el mundo real, no en un sitio irreal –Lucy suspiró–. Como amigo lo eres todo para mí, Gabe. Pero no sé si puedo renunciar a eso.

–No tendrías que renunciar. Seremos amigos.

–¿Cómo voy a saber que de verdad estás dispuesto a tener una relación adulta?

–Te lo acabo de decir: he cambiado.

Lucy sacudió la cabeza. Aquello no estaba yendo a ningún sitio. De hecho, si seguían hablando acabarían enfadándose. Tenía que aclarar sus ideas y decidir qué debía hacer.

–Quiero que te vayas, Gabe. Te llamaré más tarde, lo prometo.

Su rostro se ensombreció.

–No voy a irme. Tenemos que hablar de esto –insistió él, tomando su mano–. Por favor, Lucy.

–¡Tengo que pensar! –gritó ella–. Deja de presionarme, no puedo más. Necesito que me des tiempo.

Él soltó su mano como si le quemara.

–Muy bien, me voy. Te daré tiempo para pensar, pero escucha... prométeme que lo pensarás. Hay tanto entre nosotros. Eso es algo que no puedes negar.

–Nunca lo he negado.

Lucy lo miró mientras se daba la vuelta y oyó la puerta cerrarse tras él. No había mencionado planes a largo plazo. Tal vez porque algo dentro de Gabriel se había roto cuando Alison murió.

¿De verdad podía creer que un beso lo cambiaba todo? ¿Que era capaz de darle todo lo que necesitaba de un hombre?

Porque ella necesitaba seguridad y poder apoyarse en él tanto como necesitaba respirar.

***

Gabriel no se molestó en volver a casa. Sentía que su relación con Lucy estaba sobre el filo de una navaja y eso lo inquietaba.

¿De verdad le había dicho todo lo que pensaba? ¿Le había abierto su corazón para mostrarle lo que sentía por ella?

¿Una década evitando cualquier relación seria con una mujer lo había convertido en un egoísta, un hombre incapaz de entregarse?

No lo sabía, pero si lo hacía mal podría perderla para siempre y no podría soportarlo. La conocía tan bien como para saber que no debía acorralarla porque eso solo haría que clavase los talones en el suelo.

Lo único que podía hacer por el momento era darle tiempo para pensar qué quería hacer, no para empujarla a tomar una decisión para la que tal vez no estaba preparada.

De modo que subió al coche y se dirigió a Gloucestershire. Estaba decidido a hacer las cosas bien. Lucy no aceptaría nada menos que el matrimonio y él lo sabía.

Y si había una oportunidad de que aceptase debía estar preparado para olvidar sus miedos a que el pasado volviera a repetirse y perderla como había perdido a Alison.

Tenía que dar un salto de fe.

Gabriel descubrió con sorpresa que la idea lo llenaba de esperanza y alegría. Había pasado años evitando incluso pensar en ello, pero todo había cambiado. Solo esperaba que Lucy lo escuchase cuando estuviese lista para hablar con él.

***

Lucy abrió la puerta del horno y sacó la bandeja de pasteles que había metido y olvidado cuando Gabriel apareció.

Estaban quemados y duros como piedras. Un desastre. Esperaba que no fuese un reflejo de su vida.

Estaba haciendo un esfuerzo para pensar con claridad, pero no era capaz de concentrarse en nada. Lo que necesitaba era aire fresco, se dijo. Le gustaría correr a la orilla del río para aclarar sus ideas. No estaba segura de lo que quería hacer o dónde iba su relación con Gabriel a ir a partir de aquel momento.

No quería que le propusiera matrimonio a Ed, pero no parecía muy seguro de saber cómo quería que fueran las cosas entre ellos. Parecía tener miedo a comprometerse, como si solo quisiera probar…

¿Y no merecía ella algo más?

No sabía si su relación con Ed seguiría adelante cuando le hubiese contado lo del beso, pero aunque pudiese perdonarla, ¿estaría bien seguir con él sintiendo lo que sentía por Gabriel?

¿Podría vivir sin la pasión que Gabe despertaba en ella mientras tuviera la seguridad que Ed siempre le había dado y que era tan importante en su vida o iba a arriesgarlo todo por una quimera?

Su futuro estaba con Ed, pero su amistad con Gabriel era casi una relación familiar. Se jugaba su hogar porque si algo iba mal con Gabriel no podría seguir viviendo en Bath.

¿El corazón o la cabeza? ¿Debería dar el salto? Le daba miedo todo lo que podría perder.

Gabriel estaba en su casa, pensativo. Acababa de escuchar un mensaje de Ed en su contestador cuando volvió de una rápida visita a sus padres.

Incapaz de entender la sensación que había experimentado cuando besó a Lucy, de inmediato se puso en guardia al escuchar la voz de su novio.

¿Lucy habría hablado con él? Gabriel frunció el ceño mientras volvía a escuchar el corto mensaje.

–¿Gabriel? ¿No estás en casa? Soy Ed, el novio de Lucy. Solo quería saber si puedes ir al Abbey esta noche, a las ocho y media. Vamos a tomar una copa con los amigos y estoy seguro de que Lucy querría verte. Bueno, te espero allí.

¿Qué significaba ese mensaje?

Lucy no podía haberle contado todo…

¿O era un engaño por parte de Ed para discutir con él delante de Lucy? Gabriel no tenía sentimiento de culpa. En su opinión, Ed no merecía a Lucy, así de sencillo. Si la hubiese tratado bien, Lucy jamás habría mirado a otro hombre. Además, si la quisiera de verdad le habría pedido matrimonio mucho tiempo atrás.

Sabía que él era lo que Lucy necesitaba y solo tenía que convencerla de ello. La pobre Lucy se sentía culpable por los dos…

Gabriel tomó la cajita de terciopelo que reposaba sobre la mesa y sacó un elaborado anillo victoriano que había sido de su abuela. Jugó con él entre los dedos, estudiándolo. Las esmeraldas eran del mismo color verde que los ojos de Lucy.

Tenía que encontrar la manera de convencerla de que él podía ofrecerle el amor y la seguridad que tanto deseaba en la vida.

Tal vez aquel anillo de su familia, a la que ella había soñado pertenecer cuando era niña, podría ayudarlo a conseguir su objetivo.

Gabriel cerró la caja, decidido. Pasara lo que pasara esa tarde, iba a estar allí. Y pensaba luchar por ella.

El Abbey era un pub muy popular por tener una mezcla de música en directo y deportes en una enorme pantalla de televisión. Durante su relación con Ed, el Abbey se había convertido casi en algo familiar.

Mientras entraba, Lucy tenía el estómago encogido. Tal vez al final de la noche tendría las cosas claras sobre sus sentimientos, sobre lo que quería hacer…

Tenía que pensar bien las cosas. Si todo hubiera ido bien en su relación con Ed jamás habría mirado a Gabriel como algo más que un amigo.

Sin embargo, en cuanto empezó a pensar en presionar a Ed para llegar a un compromiso, sus enterrados sentimientos por él habían reaparecido… hasta la noche de la cena, hasta el beso, cuando fue incapaz de controlar lo que sentía.

Tenía clara una cosa: debía ser absolutamente sincera con Ed sobre lo que había pasado. No sabía si querría saber algo de ella después de eso, pero no iba a pensar en Gabriel hasta que lo hubiera hecho.

Lucy miró automáticamente hacia la mesa que habían ocupado siempre en esos dos años… y se quedó helada al ver a Yabba, Suzy y Kate tomando una copa. Digger estaba en la barra y la saludó con la mano. ¿Y era Joanna la que estaba de espaldas a la puerta?

Entonces vio a Ed dirigiéndose a la mesa desde el escenario, donde un empleado estaba colocando un sintetizador.

De modo que no iban a estar solos sino con sus amigos, con música a tope…

Intentó sonreír mientras Ed se acercaba y la envolvía en sus brazos.

–Qué bien, has venido. Vamos a tomar una copa –Ed tomó su mano para llevarla a la barra–. ¿Zumo de naranja?

–Sí, gracias. Oye, Ed… ¡Ed! –tuvo que gritar Lucy cuando empezó a sonar la música–. Pensé que habíamos venido para hablar. Ya sabes, después de lo de ayer…

–Lo haremos, lo haremos. Pero no hay nada malo en pasar un buen rato, ¿no?

Él apretó su cintura y Lucy se sintió un poco incómoda por tanto entusiasmo. De hecho, se portaba de una manera muy rara.

Se preguntó entonces si lo habría entendido mal por teléfono o se habría enterado del beso. ¿Iba a montar una escena? No, imposible, Ed no era así. Ed no escondía nada. Estaba nerviosa porque el beso pesaba en su conciencia. Además, estaba claro que esa noche no iban a poder hablar en privado.

Cuando llegaron a la mesa, Lucy se sentó entre Ed y Joanna.

–¿Cómo está Gabriel? –se apresuró a preguntar la rubia.

«Oh, por Dios».

–Está bien, que yo sepa –respondió Lucy.

–Pregúntale tú misma, Jo –dijo Ed entonces, señalando la puerta.

Lucy levantó la mirada y vio a Gabriel entrando en el pub. Cuando sus ojos se encontraron con los ojos grises, su corazón estuvo a punto de saltar de su pecho.

¿Por qué Ed no la hacía sentir así? Nunca. No recordaba una sola vez que su corazón hubiera saltado de su pecho al ver a Ed, el hombre con el que quería casarse. Y, sin embargo, Gabriel…

Su amor por él era tan profundo que le preocupó que los demás se dieran cuenta, de modo que apartó la mirada.

Mientras Ed se levantaba para saludar a alguien, Lucy tragó saliva.

¿Qué hacía Gabriel allí? Él no iba al Abbey porque prefería los bares y pubs más modernos del centro.

Tal vez tenía la intención de hablar con Ed para contarle lo que había entre ellos…

No, imposible, Gabriel no le haría eso.

Lucy se levantó, incómoda. ¿Tenía que besarlo en ambas mejillas?

–¿Qué haces aquí? –le preguntó, en voz baja.

–Me ha invitado Ed.

A Lucy se le encogió el corazón mientras miraba alrededor buscando a su novio, que parecía haberse esfumado.

–¿Por qué? Nunca te había invitado a venir. ¿Qué ha pasado?

–No tengo ni idea y la verdad es que me ha extrañado mucho. Pensé que le habías hablado de nosotros… casi venía preparado para una pelea.

–No le he dicho nada. No voy a hablar de eso con toda esta gente aquí, ¿no? No puedo ni oírme a mí misma.

En ese momento, Yabba soltó una estruendosa carcajada. Aquel sitio era un manicomio, pensó, mientras empezaba a sonar una canción de Elvis Presley.

–¿Ese es Ed? –exclamó Joanna entonces.

Lucy, que iba a llevarse el zumo de naranja a los labios, se quedó inmóvil. Porque en el escenario estaba Ed, con un traje plateado. Un mono como los que llevaba Elvis, con lentejuelas y piedrecitas de colores. Incluso llevaba una peluca y se había teñido de negro las patillas para parecerse a él.

Gabriel estaba tan sorprendido como Lucy. Más aún cuando Ed hizo la típica pose del ídolo y empezó a cantar una de sus famosas canciones de amor.

–No sabía que Ed cantase –dijo Joanna.

Lucy, incrédula, miraba a su novio moviendo las caderas como Elvis Presley.

–Bueno, no sabe cantar –dijo Yabba–. Está haciendo playback.

Cuando terminó la canción, la gente empezó a aplaudir y Lucy se quedó transfigurada cuando Ed bajó del escenario y se dirigió hacia ella.

–Eso ha sido para mi Lucy.

Horrorizada, se dio cuenta de que seguía interpretando el personaje.

–Te quiero, preciosa.

–No sabía que fueras fan de Elvis –dijo Joanna.

–No lo soy –murmuró ella.

¿Aquel hombre era Ed? ¿Qué estaba haciendo?

–Ed es muy fan de Elvis Presley y siempre ha intentando adoctrinarme –intentó bromear.

Por fin, Ed la abrazó, con dos gruesas gotas de sudor rodando por su rostro. ¿De verdad se había puesto maquillaje para parecer más moreno?

El foco que lo había seguido desde el escenario la iluminaba también a ella y sintió que le ardía la cara.

No tuvo tiempo de pensar o de hacer nada. Lo que esperaba de esa noche no tenía nada que ver con la realidad. Era como un sueño, algo surrealista, y casi esperaba despertar y encontrarse en la cama. En su casa.

Ed clavó teatralmente una rodilla en el suelo y, con acento del sur de Estados Unidos, el acento de Elvis, le preguntó:

–¿Quieres casarte conmigo, cariño?

Alejado del foco, Gabriel se atragantó con su copa y Joanna empezó a darle palmaditas en la espada.

Pero Lucy no se daba cuenta de nada porque al

fin había entendido lo que estaba pasando. Y, de repente, no veía nada más que las miradas sorprendidas de los demás clientes.

Ed la miraba con una tonta sonrisa en los labios, esperando. Y antes de que supiera lo que estaba diciendo, incluso antes de que supiera lo que estaba pensando, el pánico y la confusión hablaron por ella:

–Sí.

Todo el mundo empezó a aplaudir, silbar y gritar. Y, de repente, se vio en los brazos de Ed, que empezó a dar vueltas por el bar, levantándola el suelo.

Mientras sus amigos hacían un corro a su alrededor para felicitarlos empezó a sonar una versión moderna de la *Marcha Nupcial* y eso fue como un jarro de agua fría.

Al darse cuenta de lo que acababa de hacer, Lucy miró a Gabriel, alarmada.

Demasiado tarde. La puerta del bar se cerraba tras él y solo quedaba su copa vacía sobre la mesa.

CAPÍTULO 9

GABRIEL llegó a su casa y miró alrededor, desconcertado. Había logrado llegar allí sin darse cuenta. No recordaba nada del viaje desde el bar... tal vez porque toda su energía estaba concentrada en intentar entender lo que había pasado unos minutos antes. Y en intentar arrancarse la sensación de que su corazón había sido aplastado y pisoteado.

No podía creer que Lucy hubiera dicho que sí. Y sin dudarlo un momento. Sin mirar siquiera en su dirección.

¿No se suponía que las mujeres tenían que ponerte en un brete? ¿No tenían que hacerte esperar? Eso era lo que pasaba en las películas y no entendía por qué no había sido así esa noche.

Pero si Lucy sintiera algo por él, no le habría dicho que sí a Ed.

Podría darse de tortas. Su ridícula idea de proponerle matrimonio a Ed... y él había contribuido, la había ayudado a hacer que Ed se fijase más en ella.

¿Cómo había podido ser tan tonto?

***

Lucy observaba a Ed charlando con sus amigos, que lo felicitaban por su próximo matrimonio. Incluso algunos extraños lo felicitaban.

Necesitaba salir de allí e ir a cualquier sitio, a un sitio donde pudiesen hablar. Unas semanas antes lo que había pasado esa noche la hubiera llenado de felicidad. Que Ed le propusiera matrimonio había sido su sueño.

Qué ironía, pensó, su estúpido plan de proponerle matrimonio a él...

«Ten cuidado con lo que deseas».

Había aceptado su proposición y estaba horrorizada.

¿Cómo podía haber dicho que sí? Había empeorado la situación mil veces. Y, sin embargo, ¿cómo podía haber hecho otra cosa delante de tanta gente? No podía decirle que no con sus amigos delante.

Después de una proposición tan original, y tan bochornosa en su opinión, ¿cómo iba a decirle que no?

No podía dejar de recordar el consejo de Gabriel en Smith's...

Parecía como si hubiera ocurrido meses antes, pero solo habían pasado unos días. Gabe le había dicho que no le pidiera en matrimonio delante de todos sus amigos porque eso lo forzaría a decir que sí.

Y había estado en lo cierto. Si alguien te importaba no podías humillarlo de esa manera, de modo que solo había una opción: decir que sí.

Pero tenía que intentar solucionarlo... si podía apartarlo de su público.

Tardó dos horas en sacarlo del pub, pero había bebido más de la cuenta y casi tuvo que meterlo a empujones en el Mini. Una vez en el apartamento, Ed se tiró sobre el sofá, dejando escapar un ruidoso suspiro.

Seguía llevando el ridículo disfraz de Elvis… había insistido en llevarlo durante el resto de la noche, aunque ella le había pedido que se cambiase de ropa. Por suerte, se había quitado la peluca, pero el falso bronceado y el pelo rubio en contraste con las patillas teñidas de negro eran sencillamente horrorosos.

Sin embargo, él estaba cómodamente tirado en el sofá, sonriendo mientras miraba el techo.

–Una noche fabulosa, ¿verdad, cariño?

–Sí, bueno…

–¿Sabes una cosa? Suzy ha sugerido que vayamos a Graceland de luna de miel. No es mala idea, ¿no te parece? Podríamos hacer el tour completo, visitar la tumba del rey y todo eso. ¿Qué te parece?

Lucy se quedó en silencio un momento.

–No me parece bien, Ed –respondió por fin.

Él la miró entonces, sorprendido.

–¿Qué quieres decir?

Ella respiró profundamente.

–Que esto no va a funcionar.

Él abrió los ojos como platos.

–¿Qué quieres decir?

–Lo nuestro… no va a funcionar.

–¿Por qué no?

–Me gustaría que fuera así, pero la verdad es que he estado decidiendo por los dos y he sido completamente injusta contigo.

Sus ojos se llenaron de lágrimas al ver la expresión de Ed. Aquel no era un novio de un par de semanas al que pudiese decir adiós tranquilamente. Lo había querido, de verdad. Que ese amor tuviese más que ver con su cabeza que con los dictados de su corazón no significaba que no lo hubiese querido.

Lucy tuvo que parpadear para contener las lágrimas.

Ed merecía a alguien que lo quisiera con toda su alma y al mirarlo a los ojos supo que había entendido lo que quería decir y no había dicho porque temía ponerlo en palabras.

–Cuando fui a esa cena con Gabriel…

Tenía que encontrar la manera de explicarle lo que había pasado y romper con él sin hacerle daño, pero Ed la interrumpió inesperadamente.

–Lo esta noche fue algo que se me ocurrió de repente. Después de nuestra pelea decidí hacer algo que te animase, pero ahora que he tenido tiempo para pensarlo, la verdad es que…

Ella lo miró, esperando que terminase la frase, pero no lo hizo.

–¿Qué quieres decir?

–Tú sabes que siempre he intentado ser lo que tú querías que fuese. Has hablado muchas veces de matrimonio y de tener hijos, pero sabes que yo nunca he tenido gran interés por el matrimonio… no creo que eso cambiase nada. Luego, después de la pelea de la otra noche, pensé que si era lo que tú querías, lo aceptaría para hacerte feliz. Nada más –Ed hizo una mueca–. Pero estaba perdiendo el tiempo, ¿verdad?

–Lo siento, de verdad.

Él hizo un gesto con la mano.

–Creo que deberíamos olvidarnos de todo. Y no solo de los planes de boda… de todo. Debería haber hecho caso a mi instinto sobre lo que hay entre Gabriel y tú, pero creo que incluso entonces ya lo sabía. Tú no eres lo que quiero o lo que necesito y tampoco lo soy yo para ti. Tal vez lo nuestro haya muerto de muerte natural.

–Ed…

–No importa –la interrumpió él, esbozando una sonrisa–. Lo hemos pasado bien, ¿no? No te pongas triste. Sé que pronto te olvidarás de mí.

Ed se levantó para tomar su chaqueta y Lucy solo salió de su estupor cuando vio que abría la puerta.

–Espera un momento, por favor. Lo siento de verdad.

Intentaba decirle con los ojos lo que sentía: que era cierto, que lamentaba con toda su alma haberlo tratado de ese modo.

Ed esbozó una sonrisa resignada, pero no dijo nada y Lucy no lo culpó por ello. Al fin y al cabo, lo había traicionado.

–Adiós.

La puerta se cerró tras él y Lucy se quedó mirándola durante unos minutos, intentando ordenar sus pensamientos.

En cierto modo, esa puerta también había cerrado todo lo que durante tanto tiempo había dado por sentado, pero mientras intentaba calmarse no sentía remordimientos ni dolor por el final de su organizada y previsible vida.

Tomó su móvil y, automáticamente, buscó mensajes de Gabriel, pero se encontró mirando la pantalla vacía. Nada, ningún mensaje.

Por primera vez, parecía capaz de soportar que estuvieran enfadados sin intentar ponerse en contacto con ella. ¿No le importaba?

Lucy intentó controlar el repentino pánico de que aquello hubiera sido demasiado para él. Que hubiese aceptado la proposición de Ed delante de todos sus amigos tal vez lo había hecho verla de otra manera. Tal vez había decidido lavarse las manos para siempre.

Se negaba a creer eso, no podía ser.

Dejó el móvil sobre la mesa y contuvo el impulso de ir a su casa para explicarle lo que había pasado. No, en lugar de eso dejaría que se asentara el polvo. Le parecía poco respetuoso ir corriendo a buscar a Gabriel en cuanto Ed salió por la puerta. Además era muy tarde, más de medianoche.

Y se dijo a sí misma que si hubiera querido hablar con ella, la habría llamado. Gabe no podía soportar que hubiera tensión entre ellos, siempre había sido así.

A las tres de la mañana, Gabriel renunció a seguir en la cama, intentando conciliar el sueño. Desesperado, fue a la cocina y se hizo un café, que en realidad no le apetecía, solo por hacer algo que no fuera pensar en Lucy.

Se preguntaba cuánto tiempo tardaría en conciliar el sueño de nuevo, pero no tenía muchas esperanzas.

Su inicial sorpresa al ver a Lucy aceptando la proposición de matrimonio de Ed había dado paso a una sensación de absoluta soledad. Pensar en ella planeando su boda, casándose con Ed y formando una familia lo llenaba de desesperación.

¿Cómo iba a presenciar eso?

Verla felizmente casada con otro hombre, todo el tiempo deseando que fuera suya, torturándose a sí mismo, preguntándose si hubiera podido hacer las cosas de otra manera.

Tal vez si hubiera sido más claro cuando le dijo lo que sentía...

Gabriel se pasó una mano por los ojos. Era demasiado tarde para eso. Había perdido su oportunidad.

Se dio cuenta, desesperado, de que había perdido a Lucy. Era un dolor diferente al que había sentido cuando Alison murió, pero no de menor magnitud. La había perdido no solo como amante, como esposa, sino como su mejor amiga. Porque sería una agonía diaria verla amar a otra persona.

Lucy despertó temprano a la mañana siguiente y la sorpresa al recordar todo lo que había ocurrido la noche anterior fue como un mazazo.

Angustiada, tomó el móvil de la mesilla para mirar la pantalla. No había turbado su sueño aunque lo había dejado encendido y enseguida entendió por qué: ni mensajes ni llamadas perdidas.

Ninguna comunicación por parte de Gabriel.

No podía creerlo. Era tan raro en él… y pensar que eso significaba que ya no le importaba hizo que sus ojos se llenasen de lágrimas.

Tenía que hablar con él urgentemente, explicarle lo que había pasado.

¿Y si no quería escucharla? No, se negaba a aceptar esa posibilidad.

Decidida, llamó a Sophie para decirle que abriese la pastelería y que ella llegaría un poco tarde. Luego, con el corazón acelerado, marcó el número de Gabriel.

Tardaba un siglo en responder y eso era muy raro en él. Estaba acostumbrada a que fuese tras ella cuando discutían. Siempre la había enfurecido que hiciera eso, pero era un millón de veces mejor que ese silencio desolador.

Tal vez había decidido apartarla de su vida para siempre. Tal vez pensaba que no merecía el esfuerzo…

Se le encogió el corazón solo de pensarlo.

Cuando estaba a punto de cortar la comunicación, por fin Gabriel respondió:

–Hola, Lucy.

–¿Quieres que hablemos? –le preguntó ella, a modo de saludo.

Al otro lado hubo una larga pausa.

–¿De verdad hay algo que hablar? Me alegro por ti y espero que seas muy feliz. Tienes lo que querías, lo que habías planeado, ¿no? Sé que te preocupa que sigamos siendo amigos, pero creo que, por el momento, es mejor que no nos veamos durante unos días.

Los ojos de Lucy se llenaron de lágrimas.

–Gabe, por favor. No tengo lo que quiero… esto ha sido un error. ¿Quieres que nos veamos, por favor? Solo diez minutos. Después me marcharé y no volveré a llamarte, te lo prometo.

Gabriel no respondió, pero su determinación de hablar con él y explicarle lo que había pasado era tan grande que no pensaba dejarse vencer. Si él no quería verla, iría a buscarlo a su casa. Si no quería saber nada de ella, tendría que decírselo a la cara después de que le hubiese abierto su corazón. Al menos entonces sabría que no podría haber hecho nada más para solucionar la situación.

–Muy bien, de acuerdo –asintió Gabriel por fin.

Lucy apretó los puños en un gesto de triunfo.

–En el puente Pulteney en media hora –le dijo.

Y luego cortó la comunicación sin despedirse.

Gabriel dejó el móvil sobre la mesa, un rayo de esperanza infiltrándose en su corazón.

Pero era absurdo. La última vez que hablaron también pensó que Lucy había entendido sus sentimientos… y después había aceptado la proposición de Ed.

Sabía lo que su amistad significaba para ella y el miedo que debía tener de perderla. Desearía poder decirle lo que quería escuchar: que estaría a su lado durante el resto de su vida como siempre, pero no podía verla formar una familia con Ed, hacerse mayor con otro hombre, todo el tiempo deseando ser él ese hombre.

La amaba. Esa era la cuestión. Y no podía negarse a verla. Pero la reunión sería corta y dejaría bien claro que necesitaba espacio y tiempo para acostumbrarse a la idea. Cuánto, no lo sabía. ¿Una vida entera? Tal vez, no estaba seguro.

Guardó las llaves del coche en el bolsillo y se preparó para salir de casa. Pero entonces, en el último momento, se volvió para tomar la caja que contenía el anillo.

Había pensado llevarlo de vuelta a casa la próxima vez que fuese a Gloucestershire y sabía que estaba tentando al destino, pero le daba igual. Si había una posibilidad, por pequeña que fuera, de hacer que Lucy olvidase sus planes de matrimonio, estaba dispuesto a intentarlo.

CAPÍTULO 10

LUCY esperaba pacientemente en el puente de Pulteney. Sabía que Gabriel llegaría tarde. ¿Por qué iba a romper su inveterada costumbre de hacerlo?

Nerviosa, se apoyó en el pretil de piedra para mirar el río. El fluir del agua era tan relajante...

–Lucy.

Al escuchar su voz, ella se volvió para mirarlo, con el corazón en la garganta.

¿A quién quería engañar? Todos esos años, desde que enterró sus sentimientos por él al conocer a Alison, todos esos años la habían llevado a ese momento.

Estaba allí con la esperanza de pasar el resto de su vida con él.

Tal vez había logrado convencerse a sí misma una vez de que podía haber otra opción, que podía aplastar sus sentimientos y seguir siendo su amiga...

Como si pudiera aplastar su alma.

¿Tan disgustado se sintió Gabriel al ver que aceptaba la proposición de Ed que había decidido que no merecía la pena intentarlo siquiera? No, no podía pensar así. Tenía que hacerlo entender de alguna forma.

Una semana antes, su sugerencia de verse en el puente hubiera sido solo con un objetivo: ir a correr juntos un rato.

Pero en aquel momento todo era diferente. La familiaridad había desaparecido de su relación y ya no podrían retomar su amistad donde la habían dejado.

Sin decir nada, casi como por decisión mutua, empezaron a pasear por el camino que recorría la orilla del río.

Con el corazón tan acelerado como si estuviera corriendo, algo que había hecho con Gabriel tantas veces, Lucy intentó ordenar sus pensamientos. Caminar a su lado, tan cerca que podía tocarlo, hacía que se le doblasen las piernas.

Tenía los nervios agarrados al estómago como si fuera su primera cita, pero estaba decidida a hablar con él abiertamente pasara lo que pasara.

Tal vez Gabriel la rechazaría, pero si no lo intentaba no lo sabría nunca. Su deseo de seguridad no era suficiente; no podía basar su vida solo en eso. Sabiendo lo profundo que era su amor por él, tenía que arriesgarse.

–¿Cómo está Ed? –le preguntó Gabriel.

Una pregunta complicada.

Gabe creía que seguían juntos, por supuesto. ¿Cómo no? Había presenciado la petición de matrimonio y había visto que ella aceptaba sin dudarlo. Presa del pánico, claro, pero eso era algo que Gabriel no sabía.

La cuestión era cómo se sentía él. No parecía estar ardiendo de celos y esa no era una buena señal.

–Está bien… que yo sepa.

Enseguida notó que había un perceptible cambio en su postura.

Gabriel se detuvo y tocó su brazo, no con fuerza, solo para que lo mirase.

Y Lucy lo miró. Miró su pelo oscuro, la cuadrada mandíbula, los ojos grises que parecían casi azules aquel día. Pensó que parecía cansado y, sin poder evitarlo, levantó una mano para tocar su cara. Él inmediatamente cubrió esa mano con la suya y Lucy sintió una especie de descarga eléctrica en el brazo, en el estómago, en el vientre.

–¿Que tu sepas? –repitió Gabriel.

–Ed y yo hemos roto.

–Pero anoche…

–No debería haber dicho que sí. Lo sabes, ¿verdad? Tú estabas allí, viste lo que hacía Ed… delante de todos sus amigos, además. Pensaba que me perdía por tu culpa y decidió dejar claro que era suya –Lucy suspiró–. Ponerlo celoso, cambiar mi aspecto… mi estúpido plan. Al final, todo ha funcionado, pero al revés.

–¿Qué quieres decir?

–¿Cómo podía humillarlo delante de todo el mundo diciendo que no? Tú mismo dijiste que pedirle en matrimonio delante de sus amigos sería un error.

Lucy buscó alguna reacción en su rostro, pero era totalmente neutral, inescrutable.

–Hablé con él después. Le conté lo que había entre tú y yo… bueno, ni siquiera tuve que hacerlo. Ojalá lo hubiera hecho antes, pero pensé que lo tenía controlado –Lucy suspiró de nuevo–. No es una excusa, ya lo sé. He hecho lo que he podido para arreglarlo.

–¿Entonces qué quieres ahora? –le preguntó Gabriel, con expresión cauta.

Estaba dejando que llevase el control de la situación, sin presionarla como ella misma le había pedido.

Lucy se miró los pies.

–Sé que las cosas han sido complicadas entre nosotros después de la cena, pero yo te necesito mucho, Gabe. No tenía más remedio que arreglar las cosas con Ed antes de hablar contigo y la proposición lo hizo todo más difícil, pero la cuestión es que... –Lucy lo miró, con timidez–. Cuando me di cuenta de que prefería tener una aventura de tres semanas contigo a una vida entera con Ed, me di cuenta de que ya no había nada que hacer.

Él la miró mientras tomaba su mano.

–¿En qué universo crees que tres semanas serían suficientes para nosotros? –le preguntó.

–Es lo que haces normalmente.

–No estoy seguro de que una vida entera sea suficiente para ti y para mí –le confesó Gabriel entonces–. Sé que mis relaciones siempre han sido desastrosas y que probablemente piensas que no hay ninguna posibilidad de que me tome a alguien en serio, pero te prometo que es lo que quiero. Quiero estar contigo, forjar un futuro contigo. Tienes que creerme.

El estómago de Lucy dio un vuelco, pero intentó que su voz sonase normal:

–Me alegro mucho de que digas eso –murmuró,

esbozando una sonrisa nerviosa–. Porque aunque he mencionado la opción de la aventura de tres semanas, nunca ha sido algo aceptable para mí. Tú me conoces demasiado bien y lo sabes. Nuestra amistad es demasiado importante como para perderla por una simple aventura. Además, yo siempre apunto alto.

Con el corazón acelerado, Lucy dio un paso atrás, mirándolo a los ojos. El río flotaba tras él, el sol reflejándose en el agua.

–Gabriel... –empezó a decir, la emoción haciendo que no pudiese hablar. Tanto dependía de aquel momento. Se aclaró la garganta, pero ningún sonido salió de ella–. Gabe... –lo intentó de nuevo–. ¿Querrías...?

Gabriel le tapó la boca con la mano y ella frunció el ceño antes de apartarla.

–¿Qué haces? –le preguntó, asustada.

Estaba deteniéndola antes de que hiciese el ridículo. A pesar de lo que acababa de decir, no quería casarse con ella y comprometerse de por vida.

¿Sacrificaría su sueño de casarse y formar una familia mientras lo tuviese a él a su lado? Su corazón se animó un poco al pensar eso. Por supuesto que sí, en un segundo. Cuántas cosas habían cambiado.

Gabriel sonrió.

–Hoy no es veintinueve de febrero. Estamos en marzo, en caso de que no te hayas dado cuenta.

¿Qué estaba diciendo? Se había arriesgado a desnudar sus sentimientos y él hablaba de fechas. Lucy lo señaló con un dedo.

–Te he querido desde que tenía dieciséis años, Gabriel Blake. Durante toda mi vida adulta. Y no voy a esperar otros cuatro años para que puedas pedírmelo el día señalado.

Gabriel esbozó una de esas sonrisas torcidas que tanto le habían gustado siempre.

–Muy bien.

–Así que esta es tu última oportunidad. No la estropees –Lucy respiró profundamente–. ¿Gabriel, quieres…?

De nuevo, él volvió a tapar su boca con la mano y se le encogió el estómago cuando le llegó el aroma de su colonia. ¿A qué estaba jugando?

Gabriel apartó la mano y sacó algo del bolsillo, una cajita de terciopelo negro.

–¿Quieres casarte conmigo, Lucy?

–¿Qué?

Cuando abrió la caja, Lucy se quedó sin palabras al ver el anillo más bonito que había visto nunca en toda su vida. La joya brillaba como haciéndole un guiño…

–Era de mi abuela –le explicó Gabriel–. Pensé que te gustaría más que un anillo comprado en cualquier joyería.

–Es precioso –susurró Lucy.

Su rostro estaba a un centímetro del rostro de Gabriel…

Gabe, su Gabe, que por fin había olvidado su miedo al compromiso y hacía aquel gesto más para demostrarlo.

Por ella.

–Claro que me casaré contigo –consiguió decir.

De repente, estaba entre sus brazos, dando vueltas, mareada, mientras Gabriel buscaba sus labios y enredaba los dedos en su pelo. Podía sentir los músculos de sus hombros bajo las manos y sentía su corazón latiendo al ritmo del corazón del hombre de su vida. Cuando empezó a deslizar las manos por su espalda, pensó que iba a desmayarse allí mismo.

Pero, de repente, un chico montado en bicicleta que pasaba a su lado estuvo a punto de tirarlos al río y eso los devolvió a la realidad.

Gabriel la dejó en el suelo y, riendo, se tomaron de la mano. Pero Lucy le dio un codazo en las costillas.

–Muy gracioso. Tenías que pedírmelo en público, ¿verdad? Así estaba obligada a decirte que sí.

Él apretó su cintura, mirándola a los ojos.

–¿Adónde vamos… a casa? –le preguntó.

–¿A qué casa? ¿Quieres decir tu casa o la mía?

–No, me refiero a *nuestra* casa –Gabriel apretó su mano–. Quiero que esto empiece bien desde el principio. Aunque sé que te encanta tu apartamento, imagino que estarás de acuerdo en que mi casa es más grande y nos hará falta espacio para todas tus cosas. Además, tu apartamento es alquilado y la casa es mía en propiedad. Ven a vivir conmigo, Lucy.

Su apartamento no tenía grandes recuerdos para ella y, además, todos los buenos estaban asociados a Gabriel. Tal vez estaría bien que vivieran juntos durante un tiempo. Además, esa petición demostraba que iba en serio.

En esta ocasión no había sugerido que fueran de vacaciones a un sitio soleado…

–Pero tienes que prometer que me dejarás el mando de la televisión alguna vez –dijo Gabriel entonces.

Lucy sonrió.

–Solo si tú prometes guardar las cosas de la cocina en los cajones correspondientes.

–De acuerdo –asintió él.

Pasearon en silencio durante un rato, un silencio cómodo, amable, lleno de promesas.

–¿Crees que debería haberle pedido permiso a tu padre? –le preguntó Gabriel repentinamente.

–Lo dirás de broma –Lucy lo miró, incrédula–. La única persona que toma decisiones sobre mi vida soy yo.

–¿En referencia a mí?

–Claro.

–¿Y tal vez algún día a nuestros hijos?

Lucy sonrió.

–Trato hecho.

Tiffany™

Dos 2 en 1 uno

Diana Palmer

Hielo y fuego

Como si se tratara de una de las heroínas de sus libros, la autora de best sellers Margie Silver estaba dispuesta a aceptar el reto que le planteaba Cal Van Dyne, un arrogante millonario que se oponía a que su hermano pequeño se casara con la hermana de Margie. Esta, por el contrario, estaba convencida de que esa boda debía celebrarse; lo que no esperaba era el cínico juego de amor en el que el empresario iba a intentar envolverla al llegar a su lujosa finca de Florida. De pronto, Margie estaba jugándose el futuro de su hermana... y el suyo frente a un apasionado oponente acostumbrado a obedecer únicamente sus propias reglas. Esta vez, sin embargo, había encontrado una adversaria a su medida.

El secreto de John

Sassy Peale estaba desesperada por ayudar a su familia, pero su exiguo sueldo no le daba para mucho. Entonces conoció a John Callister y creyó que su nuevo amigo era un sencillo, rudo y honesto vaquero en el que se podía confiar. Pero John no era un trabajador de rancho, sino un millonario perteneciente a una de las familias más poderosas de Montana y, cuando Sassy descubrió quién era realmente, no le cupo ninguna duda de que el arrogante millonario solo estaba jugando con ella...

Nº 73

NICOLA CORNICK

Falsas cartas de amor

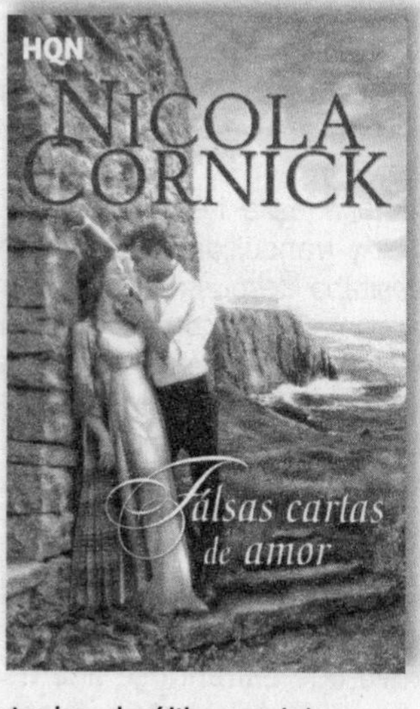

Lady Lucy MacMorlan podía haber renegado de los hombres y del matrimonio, pero eso no le impedía obtener algún beneficio escribiendo cartas de amor para los amigos de su hermano. Cartas que llegaron a ser cada vez más picantes conforme su fama fue creciendo. Hasta que, inadvertidamente, arruinó el compromiso matrimonial de un conocido laird...
Robert, el gallardo marqués de Methven, estaba al tanto del secreto de Lucy. Y ciertamente no pretendía dejar que la encantadora lady Lucy tuviera la última palabra, sobre todo cuando sus cartas sugerían que era bastante experimentada.
Sin embargo, el conocimiento de Lucy no se fundamentaba de manera empírica. Si continuaba escribiendo cartas iba a necesitar documentarse de primera mano. Y Robert estaba absolutamente dispuesto a ayudar a una dama en apuros, sobre todo cuando necesitaba desesperadamente una novia...

N° 44

¡YA EN TU PUNTO DE VENTA!